青春期

QingChunQi

张贤亮 著

经济日报 陕西旅游 出版社

张贤亮近照／张春荣 摄

QingChunQi

青春期

张贤亮 著

经济日报 陕西旅游 出版社

内容简介

　　《青春期》是著名作家张贤亮先生于 20 世纪末（1999 年）创作的一部新作。它的内容虽然仍是描写"劳改生活"，探讨男女之间的"性"关系，但它的故事更引人入胜，发人深省。在创作手法上比(男人的一半是女人)《习惯死亡》及《绿化树》有新的突破。

　　本文中的"青春期"一词内涵丰富，它包括对异性的爱慕与性欲望。也包括男人在屈辱中的爆发，还包括在我国经济转型时期，个人在社会上各种领域的奋斗。是世纪末的一剂强烈的精神振奋剂。

　　本书文中还收集了数篇作者近年写的散文和随笔。它们短小精悍，寓理于情，而且充满了阳刚之气，是男人的抒情诗。

目　录

作者的话

　　《收获》在一九八五年发表了我的《男人的一半是女人》,当时在中国文坛曾引起很大争论,至今已译成二十多种文字在世界各国发行。据一九九九年六月二十五日《参考消息》报道,那部小说又被香港《亚洲周刊》邀请的海内外知名学者评选为"二十世纪中文小说一百强"之一。十四年后的今天已是二十世纪末,作为一名作家,我想我应该写出一部小说表达我的世纪末情怀。我个人认为这部新的小说比《男人的一半是女人》有所提高,至少不比它逊色。

张贤亮

1999. 9. 29

一

　　到八十年代初，我已活了五十多岁，才知道有"青春期"这个词。过去只知道有个词叫"青春"，第一次读到它的时候刚刚六岁，不懂得是什么意思。给我启蒙的老师是重庆南岸乡下的一位秀才，但他并不是重庆人，母亲说他跟我们一样，也是从江浙一带"逃难"逃到"陪都"来的，被四川当地人称为"下江人"的一类。如今我想起他，就不由得佩服连环画家和影视化妆师再现历史面貌的本领，现在画面中凡出现过去的私塾先生，都与我这位启蒙老师十分相像，包括那顶古典的瓜皮帽，因而也使我总忘记不了他的模样。他只教我家族中的几个子弟，开学就念《唐诗三百首》，不像一般私塾先生以《千字文》《百家姓》《幼学琼林》为教材。他好像很喜欢杜甫的诗，我学的第一首诗就是《望岳》："岱宗夫如何，齐鲁青未了"，认识的第一个字是冷僻的"岱"，让我好久在别处找不着它。一次，他念到"剑外忽传收蓟北，初闻涕泪满衣裳。却看妻子愁何在，漫卷诗书喜欲狂。白日放歌须纵酒，青春作伴好还乡。即从巴峡穿巫峡，便下襄阳向洛阳"的时候，突然把书本捂住脸痛哭失声，真正"涕泪满衣裳"起来。鼻子擤得訇訇作响，听到那样大的响声，谁都会惊奇此人的鼻孔非同小可。他哭得全身骨头发颤，特别是颔下一绺花白的胡须抖动得更厉害，眼泪鼻涕随笔往书案上抹。看到一个大人，又是我们一向畏惧的老师居然跟我们一样也会嚎啕大哭，下面一群六、七岁的孩子哄堂大笑，哇哇乱叫。从此我们也就不再怕他了。

然而，就因为他的启蒙，我自幼就受到诗歌的熏陶，长大后不幸曾当了一回诗人，使我身陷囹圄二十余年。除此之外，我仍久久不忘他的另一个原因是：他是我自此以后再也没有见过的一位真正会沉浸到诗赋里的读书人，可说是位"诗痴"。不管别人怎么看，毫不顾及自己的行为会给他人造成什么印象，全身心投入铿锵悠扬的声调中，摇头晃脑地放纵自己的情怀，敢哭敢笑敢于痛快地渲泄自我。虽然他和无数"下江人"一样被日本人赶得离乡背井，穷居一隅，但越往后我越敬佩他仍然保持着精神上的独立；仅以他当着孩子的面痛哭一例，我可以断定他属于中国最后一代有风骨的文士。后来我跑遍中国和世界，再没有见过哪个人有那份凭借某种艺术形式来表达自己心情的真诚，再没有见过哪个人被某件艺术品打动得如此酣畅淋漓。世界不一样了，人心也变硬了，所有自称为艺术家、艺术爱好者即所谓"性情中人"的造作，都不能再打动我。

可是，我仍然没有弄懂"青春"是什么意思，私塾先生向来是不解词的。"蓟北""巴峡""巫峡""襄阳""洛阳"这些词看来是地名，其它的我都不甚了了，却对"涕泪满衣裳"这句诗，从此有了非常形象而直观的理解。后来的几十年我碰到无数场合会催我泪下，甚至要迫使我非痛哭不可，但泪水只要一溢出泪腺，脑海中就会浮现出他一把鼻涕一把眼泪的样子，于是在必须哭的场合我反而会破涕为笑。他的痛苦在我童年的眼中始终是不能磨灭的滑稽，我一想到他，即使已到成年、到垂垂老矣，我也立刻幼稚起来，这使我一生受用匪浅；老师的一场痛哭竟然使我能永葆青春甚至会返老还童，不管以后我多么深刻地理解了他精神的高尚，他与杜甫合为一体，他就是杜甫的化身，但他的痛哭似乎永远是人生的一个诙谐，仍会令我发笑。启蒙老师无意间在我心田里种下了抵御和化解痛苦的幽默感，让我能活到今天。

后来上了正规学校，上了初中，课本里"青春"这个词更接踵而至。可是，哪个老师都不具体讲解"青春"的词义，好像"青春"和"吃"这个动词一样，不用讲人人都会明白的。尤其到上中学，"把青春献给祖国"成了每个年轻人必须奉行的口号。中学生"只缘身在庐山中"，并不觉得"青春"特别可贵，以为大概仅仅是人一生中的一段时间吧。但是，是不是一个人只把人生的这段时间献给祖国就够了呢?到了中年和老年，那光阴就完全属于自己的了?或是祖国不需要你其它时间，只需要你宝贵的"青春"?这些问题也没有哪个年轻人去深究。可是越到后来祖国好像需要得越多，每个中国人的一生似乎都不属于自己，那么，单单提出个"青春"献出去又有什么特殊意义呢?真的，谁也没有想过。

进入八十年代，中国人才突然开始发现还有个"自我"。在政治钳制逐渐松动的社会氛围中，对人本体的认识，也逐渐从"阶级社会"的思想意识形态方面，转移到注意起人本身的心理生理上面来。首先，社会普遍感到在性知识上有补课的必要。于是，除了"青春"之外，报刊杂志上又经常出现"青春期"这个词语并加以反复探讨研究。不管怎么说，"青春期"肯定是最饱含青春的了，尽管有人会"永葆青春"或过了期还能"焕发青春"，也不能不承认他在"青春期"的青春最多最足。可是杜甫所指的'青春"与王维的"狂夫富贵在青春"看来并非我们通常所说的必须献出去的"青春"，更不是"青春期"。读了一些"青年必读"之类的专栏我才大致了解，从生理学角度上说，"青春期"原来是每个人生理发育上的必经阶段，是一个纯自然现象。在这

4

个阶段，每个人除了身体上种种生理变化，在心理上的主要标志好像是开始对异性产生爱慕、爱情或性欲望，用我这个曾长期跟牲口打交道的人的话说，就是"发情"!

领导潮流的学者认为"青春期"是人生中很重要的一个时期，与人的童年时期相同，会决定一个人今后的心理、性格和品质。犯罪学家甚至能通过一个人在青春期受到的挫折来分析一个嫌疑人可能犯罪的深层原因，从而判断这次罪行是不是这个嫌疑人所犯；希特勒变成恶魔和爱因斯坦成为划时代的大思想家，都与他们青春期时的某种特殊遭遇有关。

这引起我自我分析的兴趣，然而自我分析的结果却发现，我不知道自己的青春期从什么时候开始，也丝毫没有觉得什么时候我的青春期就算结束了。好像我一辈子从来就没有过青春期，又好像青春期单薄地平铺在我一生的全过程，所有的日子都像一块青灰色的铁板，坚硬、冷峻而索然无趣，就这么肤皮潦草地过到今天。

　　我想我应该和别的任何人一样都有"青春期"的，我怎么可能从幼年就一下子跨到中年直到老年了呢？不找到人生这段时间，总不太甘心；别人都有唯独我没有的，除非是疾病，那可不是什么值得自豪的事。而有点闲心去寻找那根本不用再去寻找的东西，又说明我其实已经到了不可救药的老年。

　　现在回忆，如果算作今天人们常说的"青春期"的萌动，即"发情"的表现，还是应该在我五、六岁时与小同伴们玩"猫捉老鼠"那次开始有点迹象。

　　地点仍在重庆南岸乡下。我的印象是在一所很大的院子中的一间很大的房子，院子和房子都弥漫着旧古的气味，阴森潮湿而庄重逼人。"别梦依依到谢家，小廊回合曲阑斜"，那院子四周果然有一圈"小廊"，廊檐雕刻着许多线条不清的吉祥图案。后来我发现，凡是后来浮现在记忆中的景物都非常大，连山路旁和小溪旁的苔藓也浩浩荡荡绿成一片。我曾不止一次地到不同地方故地重游,每次都会惊讶地发现所有的东西都比过去小了许多。树木不但再没生长,反而仿佛缩水一般,小了不止一圈。所有的回忆都充满水份,或者说在回忆中一切都那么滋润和丰满,一进入现实就干瘪了。我也曾回过重庆,并虔诚地到南岸去考古般地寻找我青春期萌动的故址,就是那所大院子中的大房子,但所有的东西都失踪了,连泥土都失去了古旧的气息,如同战争的残骸被新建筑替代得那样彻底。一时间我竟迷惑我是不是有过过去,抑或整个人生都是一个幻觉。站在暑热蒸腾的柏油马路边,呼吸着大小汽车散发的废气,我如一片枯黄的落叶般飘浮了起来。

然而,那肉感至今仍十分丰润、温暖而柔软,与阴森潮湿庄重形成强烈的对比。当它贴在我身上,一下子就融进我的肉体,使我感到躯体内好像添加了更多的血和肉,某个部位立即涌动和膨胀。这种感觉从那时就嵌入我作为一个生物人的个体,成了我生命的一部分,并随我一同成长。每当那种感觉像一种腺素分泌出来时,过去,它总是会使我体内某个部位涌动和膨胀,后来随着年龄的增长,逐渐地从肉体的某个部位漫延到全身,让我如同喝下一杯醇酒,每一根神经都柔软和温暖。

现在我才知道人的一生多么无奈,那肉体那皮肤的承载者当然是位女性，一个比我大好几岁的小女孩，是我一个应该叫她"姐姐"的邻居，可是，我再怎么绞尽脑汁也想不起她的名字和整体形象，还不如我的启蒙老师给我留下的印象深刻。记忆中所有的人物都渐渐成了符号或代码；时间拉大了现时与发生点的距离，使一切可把握的东西都从手指尖飘飞。启蒙老师不过是因瓜皮帽和胡子组成的符号被一直采用至今而使我仍有记忆，肉感却正因为是感觉，肉体的形象反而淡薄以至于无。这就是人逐渐活到老的悲哀之处，所有具体的东西甚至亲密的人都会无影无踪，最后，连自己也消失了，也成了别人印象中的符号或代码。经我观察，不止是老年人，好像所有的人一进入中年都会逐渐地感染不同程度的健忘症和痴呆症。生活强迫人要倾向佛学所说的"空"。

但毕竟我曾拥有那一刻，曾有过那种感觉。那种感觉决不会是与生俱来的，即使是符号和代码，那也应该在实物之后。我记得她拉着我蹑手蹑脚、急急忙忙而又屏声息气地在几间房子乱蹿，阴森的房子院子因为有了我们而活跃起来。我们真的像老鼠一样缩头探脑，最后她终于选定那间大房子里的一个大橱柜。

奇怪的是我对橱柜倒记得很清楚，那是紫檀色的，里面有一股浓烈的樟脑的芳香。从此以后我对紫檀色和樟脑味就有了独特的嗜好,紫檀色和樟脑味,这一色一味,总会激起我的情欲。可是,那也同时将我的感情覆盖面限制住了,使我今生今世再 不能冲出这种色与味的局限。每一种遇合都是若干次错过,那种特定的狭隘令我后来错过无数次艳遇。

她拉着我钻进橱柜,顺手把柜门一带。天地立刻昏暗下来。整个世界只有她和我两个。由于紧张地屏声息气了好一会儿,松懈以后,我和她自然要喘口粗气,我发觉她的嘴唇紧靠在我腮边,气息烘热而湿润,对我哈出一股既麻又痒的暖流。这样近的距离有一种特别的诱惑力,吸引我非更加靠近她不可,于是我不自觉地在黑暗中向她偎去。后来我当然和其他女人也有过同样危险的距离,但再也追回不了那种蒙眬的、无意的、纯自然冲动的境界,从而使我认为一切有意识、有预谋、有热身过程的行为和语言,即人们通常所说的"恋爱",全然没有什么乐趣,有趣的只不过是"发情。"缘",实质上都是偶然的、随机的和随意的。

她将两臂环绕着我。外面本来就很炎热的气温在橱柜里面又突然上升,薄薄的一层布衫已等于无。于是这使我"懂事"以后常常去注意纺织品的质地,但再没有见过厚度只等于零的衣服面料。我和她之间如油的腻汗不知是谁身上渗出的,这种腻汗特别润滑和凉爽,仿佛我们正是靠这种粘合剂才合 二为一。这决定了我此后的一生再不能与皮肤干燥的女人亲热。由于我们俩都怕被"猫"捉住，我们就结成了一个命运的共同体。我们互相搂抱着。现在回想，我们的姿势绝对很不规范，在黑暗中两个肉体揉搓成一个肉团。大概那仅仅只一刹那时间，而那一刹那我与她完全达到一种不可告人的默契。她的手在我胸前、背上、肩头、小腹反复游走，既温存又有力度，只要游到我身上有肉的部位，那手掌就会自动咬合，并且每次咬合都如鱼喋水，恰到好处，让我幼小的心从此体会到"亲切"的"切"是什么滋味；汉字真太伟大了，"切"字真太贴"切"不过! 我也完全不自觉地如此回应，像是一种条件反射，又像我们的动作非要像老师教的楹联一样上下对应不可。这时我才发觉人世间有另一种肉和皮肤，抚摸它比自己给自己搔痒要舒畅舒心得多，自己给自己搔痒的舒畅感在皮肤上，抚摸她的舒畅感却深入到心底里，其中有全然不同的体验。

"猫捉老鼠"的游戏规则决定了我们最后不得不分开。怎样分开的及分开以后的事，我全然忘却了。虽然现在我可以虚构和幻想，但任何补充都是多余。抚摸的暖昧或暖昧的抚摸不可告人不可传达不可用语言描述，那种感觉正如自身的血液流动磨擦血管，有谁能说得准确？

或许，那仅仅对我来说是一次"事件"，一个进入青春期的"仪式"，是我为了勉强给自己一生设定一个"划时代"

的阶段而烙的精神胎记，而那位"姐姐"却完全是无意识的，她的抚摸纯然出于亲情或热情，既非她的什么"青春期"表现，更与"性"毫无关连。风无心吹皱春水，春水却因风而皱；水以为与风有默契，而风不过将吹拂当作游戏。但是水因风而皱之后再没有被风吹过，这潭水便成为死水，那一场风，也就永远留在水的记忆里。

三

橱柜里的"仪式"对我非常重要，在于我现在自以为是平生第一次与异性的交流——我被异性抚摸和抚摸了异性，从而使我初次"发情"。如果说那就是我"青春期"的开始，我未免像只小狗似的有成熟得太早之嫌。我在才智上并没有超常之处，更不是一个绝顶聪明的神童，却对异性有过早的敏感，这不但不值得炫耀，还应感到自惭形秽。然而正如上面说的，自那场"仪式"之后我的"青春期"或说是"发情"就长期停滞再没有丝毫进展，像一颗小小的流星一闪即灭，落到一片无人知晓的荒原。又如前所述，那次遇合

从此限制 我的感情取向，失去了"遍洒雨露"式的广泛性，用营养学的话说就是我这个人比较"偏食"，这样，我对异性的兴趣不仅没有因此升高，反而因此下降。所以，那次幸运实际上是次不幸，是我在童年遭受的一次挫折和压抑，致使我终生再得不到那样自发的热烈的拥抱。

橱柜"事件"以后，异样的感觉并没有保持很久，甚至逐渐淡忘了。然而慢慢过了四、五十年，那种感觉却苏醒过来而且越来越强烈，现在，每天入睡以后再钻进橱柜里去温习一遍，几乎成了我的功课。人到老年有个绝妙的好处，就是可以躲在一个安静的角落钻到回忆中去，拾取过去遗失的东西。所有过去丢掉的细节哪怕是一针一线，今天在脑海中翻腾出来都会变得非常宝贵，从当年受到父母师长的呵斥中，也能品味出温馨。

人一生下来便不停地向前奔跑，将生命和时间稀里哗拉地丢了一路，像一条脱线的项链，沿途失落掉一颗颗现实的感受，这些感受只有到老年才会发现它们全部是闪光的珍珠。对老年人来说，现实世界上再没有什么能给他强烈的诱惑的了，逝去的光阴才最具诱惑力。于是每个老人就慢腾腾地往回，在回头路上不停地拾呀拾，腰背大概就是为此而佝偻。

回忆，是老年人对未来的憧憬。

接下来一次，可算作是"青春期"表现或"发情"的，已是七年以后了。七年，听起来是很长一段时间，抗日战争也不过八年而已，但那时我仍只有十三岁，可见得我造孽实在造得很早。想到这次我就会想起一位逝去的好朋友，一个著名作家兼电影编剧。是他使我的回忆始终保持圆满，直到今天我写自己这段卑微的历史的时候，我仍然觉得她非常美丽。她脖子后、发际下那一小块、唯独是那一小块白晰的皮肤，永远在我眼前闪耀着尊贵的象牙色光辉，并且越往后越具有古董的价值，激发我对这个世界和生活的兴趣，使我舍不得轻易将这世界撒手而去。

　　抗日战争胜利以后，我们全家回到老家南京。我祖父在南京有一所颇有名气的大花园，是在二十年代仿苏州园林的式样建造的，我就出生在那花园中的一个院落。在我出生的三十年代中期，楼台亭阁中时时传出六朝古都的遗老遗少骚人墨客的吟唱，一册册装订精美的旧体诗词印刷出一摞又一摞，当然是现在所说的"自费出版"。也好像现在自费出版的书籍一样，一摞摞堆放在家中送不出去，抗日战争爆发后跟我一起从南京搬到重庆，再从重庆搬回南京。我这个"长房长孙"和那堆吟唱的唾沫，在祖父眼中却似乎份量相同，用私塾老师教我的"敝帚自珍"这个成语形容我祖父再合适不过。

回到南京，包括"岱"字在内我已识了一大堆汉字，曾在泛霉味的房间里翻弄过那些曾与我风雨同舟的《酬唱集》，我第一次谅讶如此肉麻的押韵句子也可称其为诗。诗既让我失望又令我充满自信：这个玩意儿我也能玩一玩！诗中有杜甫和我的私塾老师一类人，但更多的是媚上媚俗的小人。从此我敢于蔑视我想蔑视的任何诗词文章，从"反右""文革"直到今天，任何对我的批判都不会令我心惊胆战。响应主人号召的"酬唱"，在中国文艺界理论界思想界风行了几十年，历久不衰。在那泛霉味的房间里，我受到的文字污染反而使我获得精神的免疫力，后来无论什么号称伟大神圣的话语都不会使我疯狂。

我被送到一个叫筹市口的地方上中学。名曰"筹市口"，其实并没有什么集市，而是一座长满青草的小山包。学校很威严地蹲在山包顶上，像一只灰色的大老虎俯视着沿小路而来的一群群莘莘学子。这座建筑物给我印象最深的是我曾把雨伞当做降落伞，撑着它从三层楼跳到凹凸不平的青草地上，结果摔断了腿。我想这也应该算我青春期的表现，因为我的英雄行为只不过是为了引起坐在我前排的一个女同学的注意。但我在家躺了一个多月后再来上学，她似乎并不怎么为我的康复而感到高兴，更没有因我的壮举对我五体投地。这使我以后在任何一个女性面前再不会搞什么鬼花样。女人是彻底的现实主义者，并不欣赏愚蠢的浪漫。然而正是她耳后那光泽的皮肤第一次发掘出我的冒险精神，这种精神不但让我后来渡过重重难关并且一直支配我到老。

这个可能会令我终生残废的女同学总穿一条廉价的黑布衣裳。黑衣黑裤，皮肤却异常白晰。脑后垂着一条黑色的大辫子，长度刚好在腰下一点点，所以辫子的摆动幅度恰到好处。到八十年代，黑色又复辟了，成为国际流行色，于是处处都有她的倩影，不时地在我眼前晃动。我从没和她有过肌肤上的接触，所以她的模样直到今天在我眼前仍十分清晰。尤其是她耳朵后延着发际而下那一曲弧形的脖子，由于发辫被紧束着而好象故意要显露出来一样分外清明。那是一片迷人的三角区，笔直的斜边是洗得褪色的衣领。于是我终生喜欢洗得发白的旧衣裳，果然，三十多年后一种水磨洗布竟成了流行的时尚。

美丽并不需要很多，正如警句妙语，越短小才越显得精彩。单是乌黑发亮的头发还不够美丽，单是白晰的皮肤也不够美丽，美丽的原来是隐藏在乌黑的发根中依稀可见又难见的白晰的皮肤。只有那么一小块，如同一滴牛奶的泅晕。在整体描绘上，那正如画家神来的一抹妙笔似的可遇而不可求。是她，教会我从后面去欣赏女性以至于世界上所有的一切；她使我对《背影》这篇课文理解得比一般同学深刻。并且从此激发起我对任何事物的幕后活动与背景的兴趣，决不会轻易相信表面的形式，用现在流行的话语来说就是喜欢"揭密"。我常想，我能够"兼听"并且是个"两点论"者，是不是也和青春期时的这个启发有关？

这个世界上的东西其实并不太多，还远远没有达到饱和的程度，一切一切动植物所谓的"无数"都有绝对数量，唯独秘密在地球上爆满，太多的秘密是宇宙间的另一个"黑洞"。譬如我对她耳后、脖项、衣领构面的三角区的神往痴迷，直到五十年后的今天才公布于众。而在当时，在我摔断腿之前一学期左右，可以说只有那白的耀眼的三角区才是我使我天天积极地去上学的动力。父母亲都很奇怪，我每天每堂课都不缺，摔断了腿躺在家里还总惦记着学校，老师也说我在教室里表现得也很用心听讲的样子，而我除了作文课外，却门门学科都不及格，连体育课音乐课也不满六十分。我想，这大概就是我现在勉强当了一名作家的初始原因吧。

那时我一见到她的脖项便激动得想去触摸，或是将那一片小小的三角贴在胸前。她耳后的三角区有如吸引飞机轮船自行往下栽的百慕大三角区，不但使我一举从三层楼上往下跳，还经常让我丧魂失魄，上课铃一响我在座位上落座，等候的不是老师而是她。如果她哪天请假我便神智恍惚，四十五分钟下来我竟不知道刚刚上的是什么课；前面的座位空了我的心也仿佛空了。不过那时我并没有一点橱柜里那种"发情"的冲动，体内某个部位更没有涌动膨胀，因为她那皮肤上光滑得没有一个毛孔，没有一点瑕疵，质地像大理石一般紧密，也像大理石一样冷冷地拒人千里之外。

　　如今我回忆起来，那可算我平生第一次领略到"爱慕"的滋味，已经比"发情"提高了一个等级，达到一种诗的境界。对白色三角区的神魂颠倒和在雨中玄武湖的心旷神怡相同，都与肉感无关，属于另一类感觉范畴。那隐藏在乌黑的发根中依稀可见又难见的白晰的皮肤，启发了我对杜甫的"香雾支鬈湿"有新的诠释。我自信比稍逊风骚的私塾先生更理解杜甫。她园润的脖项上方那一小片微有弯度的爬升地带，颜色时深时浅，或白或黑，在我眼中果然雾气蒙蒙，香烟缭绕。所以我认为杜甫的"香雾"并非一般人解释的是嗅觉上的"香"，而是指视觉上如"雾"的朦胧；"湿"也不是潮湿的"湿"，而是触觉上的凉爽和光滑。对女人的鬈发有如此细腻入微的感觉，可见杜甫真是个伟大的女性欣赏家！

　　这说明我的确比在橱柜里成熟了许多，是符合"青春期"成长的生长规律的。只有这点还可证明我发育正常，我的身体一直很健康大概也得益于此。

四

三十多年后，我和一群作家到南京领一项高级别的文学奖，当作家们晚上聚在一起大谈特谈个人初恋的经验时，我没有别的可以炫耀，便说了这段脖子的故事。在座的朋友们却一个个嗤之以鼻，他们说我并不是跟那个动人的小女孩谈恋爱而是跟"一根"脖子谈恋爱；那算什么"初恋"，只不过是可笑的"脖子情结"罢了！我对他们用"一根"这个数量词非常反感，他们亵渎了我童年心中唯一可以留念的审美对象，使我对这些文学家品味的估量大大降低，怪不得现在在"创作""写作"这类高尚的心灵活动前面往往加上个低级的"搞"字。但午夜扪心自问，与他们多彩多姿离奇古怪温柔缠绵两相情悦青梅竹马的初恋相比，我不能不暗自惭愧：我"青春期"时与异性的接触确实少得可怜。如果我能像他们一样交游广泛，视野开阔，当时比那片三角区更加能吸引我的东西一定还很多。可是命运就是如此规定，我的性格决定了我偏爱一些别人不太注意的细节。这大约也是我后来还能靠写小说吃饭的原因。

一颗草的种子在贫瘠的土壤中破土而出，如果再没有其它植物在它周围生长，它便会成为童山秃岭上一株夺目的大树。我对白色三角区的怀恋何尝不是如此。在那耀眼的光芒以后再没有别的发光体照耀过我，于是我也像祖父似的敝帚自珍，在我以后的岁月里从劳改队进进出出，一直怀揣着对她的思恋。那是我缺少异性滋润的贫瘠的心田里的一株树。现在我又回到南京，当然要去顶礼膜拜。

我还记得她家住的地方。我说我造孽造得很早的一个罪过就包括我曾悄悄地跟踪过她。我至今还能依稀地看见她黑色大辫子摆动得合度得体，就是在三十多年前放学的路上发现的。但我并不是有意跟踪而是她主动吸引我，走着走着我不知为什么就会跟着她走。后来我才知道世界上许许多多事情都身不由已。我可以保证此后再没有跟踪过另外一个女人，因为再没有哪个女人有那样的头发。长大后我听说女人的头发长了发稍会分叉，现在很多香波就以解决这个难题做广告。可是那时我认为她的头发绝对是世界上最完美的，每一根都能够单独剔出来做成标本，难怪古人在诗词中把它比作"青丝"。那时我虽然已经戴上近视眼镜，奇怪的是我仍能远远地看见她头发根底白晰的皮肤，那是迷人的三角区的衍化。我第一次跟她到家，以后便轻车熟路了。原来她家离我家很近，她到家后我往前再走二百米也就到我家了。跟踪其实不过是顺路而已。她家在一个菜市场前面，我每天吃的菜都要一一经过她家门口。

　　和作家朋友们聊了初恋的第二天，我说我要去"寻根"，看看祖父那座大花园现在怎么样了。前面说的那位好友——著名作家兼编剧做为授奖会的东道主之一，发动几个友人跟我一起去。于是大家坐了一辆面包车直奔三十多年前曾经为我的家。按我提供的准确地址：××路××号，司机很容易找到地方，可是我家已经成了一个制造电机的工厂，门牌号却依然没变。早先悬挂楹联的门柱上如今一边是工厂的牌子一边是工会的牌子，倒也很对称。大门已不是原来的大门。我记得原来的门是厚重的木头门，镶着几排铜钉和两个铜环。现在大大缩小了的黑色铁门上莫名其妙地涂着好些红白油漆，大门仿佛成了画家的一块调色板，远看又好像抽象画派的作品。几个作家走近仔细一看，才认读出了褪了色的"大跃进"和"文革"的口号。一时我竟有些晕眩，几个历史时期叠印在一起，压缩了多少人间的悲欢离合！时间便如此无情地匆匆而逝，不管对国家对社会对个人来说多么伟大重要多么惊心动魄的事都会过去，都会变为陈迹。

　　我的好友是南京的知名人士，对看大门的老头一说老头便领着我们从旁边的小门鱼贯而入。不出所料，曾经为我家的花园早已面目全非，楼台亭阁无影无踪，绿树花草也被雨打风吹去。小溪变成一条平坦的柏油路，看门的老头说路下面埋了条排污管道，那大概就是我记忆中清澈的小溪了；荷花池被压在车间底下，花房改建为一排砖木结构的简陋平房。老头还记得花移出来后都死了："一棵都不剩!"老头也会发出感叹。看来，人要比花木的生存能力强得多。

老头仿佛是《失乐园》中的维吉尔，一一指点给我看什么什么是什么什么时候改造的。改造真的非常彻底! 一家人的生活场所变成了公家的生产场所。但工厂近年也很不景气，竟败落到与抗日战争时期我的大家庭一样，要工人各自去寻找生路，老头说这地方将要被港商买去，真是"三十年河东三十年河西"!

厂房静悄悄的，既没工人也没机器的响声。一堆堆锈迹斑斑的电机半埋在凄迷的荒草中，那大约就是这家工厂的产品了。花园败落了，工厂也败落了。不管是花园也好工厂也好，不管是属于私人公家或是港商，人们在土地上忙来忙去只不过是来来去去往返的风，这片土地还是这片土地。友人们怀疑说你是不是弄错了，又有人开玩笑指着车间里的一泡尿迹说，你大概就在这里落草的吧。我突然想到"落草"一词的含义：既指婴儿出生又指去当强盗，神圣感立即被一种暗示所代替：是不是人生下必须是强者，不然便不能承受以后的命运？

本来这应该是我心中的一所殿堂，可在又脏又乱又破的厂房中我找不到一点令我感动的景象，准备好的一掬泪竟无处可洒。我想我原来就无所谓"根"的吧，生下来就命定和风一样要飘泊天涯。现在的问题倒是应该考虑准备停息在什么地方，也就是说死在哪里；"根"，对我已经没有任何意义，坟墓倒是我必须思量的前途。所有的过去都把握不住，那么就试试把握现在吧！"自掘坟墓"虽是个贬义语，但换个角度理解那不正是提醒赶往坟墓的老人要把自己的墓掘得舒适合体？一般人的坟墓都由别人来"掘"，"自掘坟墓"者才有精心设计、量体剪裁的自主权。

友人说既来了一趟总得留点纪念，我大致观测一下可能是我出生的院落的地点，站在一处铁皮自行车棚下照了张相，脸上的表情尴尬无奈得变了形。不知情的人看了这张照片一定会发笑：为什么我非要手扶着块"棚外禁止放车"的木牌留影，这有什么艺术价值可言？我还记得林木森森的院中有一棵高大的梧桐树，我母亲在树下怀抱着褓褓中的我的相片，今天正挂在我书房的墙上，而梧桐树却被一堵水泥砌的灰色标语牌替换了："时间就是金钱　质量就是生命"两行红字赫然在目……所有这一切，都令我能非常高兴地用现在流行的话语跟它们说一声"拜拜"。从此我获得了解脱。既然"时间就是金钱"，我不会再对损耗掉的时间有丝毫怀念。花出去的"钱"再也收不回来，眼前的问题倒是怎样花手中这点不多的"钱"。

这次"寻根"反而激起了我"向前看"的精神，出生地全然颓圮全然消失，等于给了我一个新的起点。我在这所电机厂又诞生一次，活了半个多世纪我有权再得到一次"青春期"。这使我将近花甲时还敢投入商海。

算了，咱们还是去寻那"根"脖子吧！友人怂恿我说可能还会找到她，我当然早已抱着一线希望。于是我把这"根"毅然地抛诸脑后，和大家一起兴致勃勃地去寻那"根"。告别维吉尔，到贝雅特里齐那里去吧！幸亏我还记得她的芳名，这得益于我和她没有过肉体接触。于是面包车又向前开了二百米，来到菜市场门口。

让我诧异的是菜市场还是那个菜市场，三十多年来风貌犹存，污水溪流般地从大门洞往外淌，汩汩地泄进马路边的下水道。市场大门左边卖豆芽的小店还在卖豆芽，仿佛它的豆芽总也卖不完。在这里我倒寻见梦中的情景，真如佛经所说的"不可思议"。白得耀眼的细细的豆芽菜，更令我急切地想看到那白得耀眼的圆润的脖项。我说她就住在豆芽店的楼上，这间赭红色的残破的木板房里。整座小楼依然颇具风情，仿佛是一幅精致水粉画，虽然更加破旧但也更加凝重。窗户面临马路，贴着胶布的玻璃朦胧模糊，使有心的过路人不禁会遐想里面的暧昧。我说我过去就曾在窗下仰望过多次，除了贴上了胶布那窗户并没有变样。好友说你先别进去，让我先去替你打听打听，我们就说是三十多年前的老同学，来看看你有何不可？

好友进去了约十分钟怏怏地出来，连声叫走吧走吧！

在车上，好友说果真有这么一个叫那个芳名的老太婆，你记的一点没错。但哪有什么"美丽的三角区"！我特别注意看了看她的脖子，又黑又瘦皱折里还藏着污垢。黝黑的楼道里摆着个破煤球炉，烟熏火燎地让人没法在房里久待，而她却安然地抱着不满周岁的外孙喂稀饭，头发也已花白并且脏乱不堪；她的形象和她的生活环境再匹配不过，纯粹是菜市场卖剩下的蔫菜叶。我问她你还记不记得有一个叫你这个名字的中学同学，她连想也没想就说想不起来了，一脸不耐烦的表情，可见当年她对你毫无印象，并且对过去所有的一切都不感兴趣。

"算了，你还是把你的梦好好保留住吧，别让现实击碎了它。到我们这把年纪，只有梦是最宝贵的。"

回宾馆的路上作家们个个默默无言。作家这时才像是作家，每个人都有各自由此产生的感既。别人的感慨我不知道，我可以想象光阴对她和那片白色三角区的磨损，也许这个女人比我受的摧残更多更深。想到这点我不禁心头沉重。我有另一个同期的女同学从美国来看我，她在台湾也有一番挣扎，成了富婆后又描眉又画眼又染发还经过几次整容，但苍老仍然从皮肤下顽强地向外渗漏。被精心掩饰的老态更令人不寒而栗，使我这个旁观的友人也觉得自己又老了许多。

　　我拍拍好友的膝盖悄悄说了声"谢谢"。我理解他的好意，他让我毕竟还能保留一点美好的记忆，不然我们这代人的经历未免太过于残酷。

　　他握住我的手背紧紧一捏。对这个世界，我们已心照不宣。

　　不久，我的这位好友就去世了，死时刚过六十岁。肯定他带着许多他有意不去击碎的梦到殡仪馆，将那些梦和他的躯体一起火化："泥土归泥土，灵魂归灵魂"。梦是他灵魂的核心；是经现实生活过滤又经过病痛的剥离，最后剩下

25

真正属于自己的一点东西。那才是他最好的陪葬品。他珍惜它们到了吝啬的程度，不轻易把它们告诉世人。他的作品不多，留给我们的电影中有一部名叫：

"被爱情遗忘的角落"！

从橱柜里钻出来，又与美丽的白三角告别后，我就只有从小说戏剧中读到爱情和女人。我发现小说戏剧中有关爱情的描写似乎有个明显的界线，爱情只存在于过去的年代，到了新时代就像恐龙一般无缘无故地消失。爱情仿佛是与建设新世纪新社会相抵触的；所有的文艺宣传品都异口同声地向人们宣布：如果在不同阶级之间的男女发生爱情，那注定没有好下场，绝对以悲剧告终，如果男女双方都是革命阶级，那就是同志关系。同志关系是超乎所有的关系之上的最沌洁、最高尚的关系。这高尚的关系将全部人际关系包括两性关系都涵盖无余，男人和女人在这高尚的关系中并没有什么明显的性别特征，都是"革命同志"。"谈情说爱"只出现在主人翁有阶级觉悟之前，有了革命觉悟之后，即使是夫妻也只谈革命，交流学习心得，批评和自我批评，再不会甜甜蜜蜜卿卿我我；"男女作风"总是与"犯错误"联系在一起，"男女关系"可是个非常严重的罪名，连劳改队的犯人都看不起"乱搞男女关系"的"流氓犯"。总而言之，"男女"两个字连在一起决没有好事。

整个社会环境就是这样,怎能使我在"青春期"表现出"青春期",激起我对女性的爱慕、爱情或性欲望?爱情是一种"小资产阶级情调","搞"这种情调的人很可能被划为资产阶级,而我本身不谈爱情已经是个资产阶级分子,再谈爱情更反动得无以复加,并且也没有哪个女同学敢冒天下之大不韪与我"谈情说爱"。于是我就成了一个没有任何"情调"的人,一个"脱离了低级趣味的人"。不止是我,几乎所有的中国人的生活与情感都像被制服领子上的风纪扣封得密不透风。千千万万年轻人都不度过"青春期"而一下子跨入中老年,从而使中国人的外表看来一个个都深沉内向谨言慎行老气横秋。果然,社会环境发展到后来,"恋爱"一词也普遍被"找对象"三个字所替代。一个可能是非常缠绵温馨心荡神移的情感交流过程,被简化成直奔终极目标的繁殖行为。"找对象"不过是动物群体中的"交配"罢了。我在农场放马牧羊喂猪的时候,每到家畜发情期,队长叫我把牲口赶到配种站去配种,他总是手叉着腰站在圈门外这样对我喊:

　　"该给它们找对象了吧!"

　　整个中国全成了"被爱情遗忘的角落"。在我看来,爱情也只是"发情"罢了!

　　但是,那时我毕竟到了生理阶段的"青春期",我"发情"了却找不到"发情"的对象，只好到一些还没有被禁阅读的中外古典小说中去寻找。一位位佳人淑女在发黄的书页上风情万种，通过我的眼睛抚慰我渴望女性的心灵，当时我以为那只是"饱眼福"，后来才知道那就是所谓的"意淫。"由于整天"意淫"，对学校教的 $x+y=z$ 以及像天书般的化学分子式等等完全一窍不通，数理化每门功课都交白卷。若干年后中国出了一位著名的"白卷先生"，我想他大概也与我一样是"意淫"的结果。但他远远比我幸运，竟因为交白卷成了革命接班人，而我却因此被学校当成再恰当不过的政治标靶。那时，连普通中学也要开展"忠诚坦白"的政治运动，据说那是知识分子改造的一个必经过程，学校天天开会动员中学生向领导"交心"。我不知道领导要那么多"心"干什么用，十几岁的中学生上交的"心"非常单纯，满足不了领导的需求，于是领导就到家庭成份复杂的学生中搜寻复杂的"心"，我这样家庭出身的学生就首当其冲。但家庭出身不好的其他同学学习都很好，我这个"白卷先生"就成了重中之重。

我倒是很想把"意淫"的内容上交给领导，却又一时难于启齿，正在犹豫不决斟酌词句的时候，一天班主任反而主动亲切地找我谈"心"。他把我叫到他的办公室，谈"心"的主题是无产阶级必须具备的道德品质。然后和蔼地问我知不知道宿舍里经常丢失私人物品，什么袜子墨水信封信纸邮票钢笔针头线脑等等等等。我说我知道,我自己也丢过一双袜子。班主任说你知道就好,很好!你主动向领导坦白是你"拿"的。我惊诧地问我自己的袜子怎么会自己去"拿"?班主任启发我说:不是你"拿"了自己的东西而是你"拿"了同学的东西。我断然地摇摇头说我从来没有"拿"过同学的东西。班主任说你应该承认你"拿"过,你出身于资产阶级家庭,生在那种家庭的人天生下来就和无产阶级家庭出身的孩子不一样,有"拿"别人东西的毛病,你承认了,认识了,那种毛病才能彻底改正。我疑惑地说我好像从小就没有那种毛病,那种毛病不就是"偷"吗?班主任不厌其烦地教导我说在资产阶级出身的人身上,那种毛病是不自觉的,再说,"拿"和"偷"不一样,"拿"是偶然性的,"偷"是经常性的。你只不过偶然"拿"过同学的东西罢了,怎么能和"偷"联系在一起呢?这话虽然很有道理但我还是想不通,这比"青春"与"青春期"的区别还难懂。班主任宽容地说你好好想想,想通就老老实实承认下来,又说,承认了对我绝对有"好处",领导的政策一向是"坦白从宽抗拒从严",我承认"拿"了同学的东西以后照旧读书,就和什么事情也没有发生一样。

班主任每天至少要找我谈三次"心",同学们议论纷纷,弄得我整天如芒刺在背,何况,班主任的苦口婆心最终打动了我,觉得再不按他的教导承认"拿"过同学的东西也太对不起老师了。最后我终于低下头问他，您说我"拿"过些什么东西好呢？班主任见我总算被他说服，轻松地往藤椅上一靠，拿出纸笔让我记录，他翻开他的小本子念一件我写一件，什么袜子三双、邮票十张、信封一沓、用过几张的信纸一本、球鞋一双、墨水两瓶、钢笔一支、铅笔四支等等等等。我写完交给他，他一目十行地看了非常吃惊，啧啧地说，一件件东西加起来就不是偶然性地"拿"，而是必然性地"偷"了！又摇头感叹资产阶级家庭出身的学生是多么难教育好。

　　几天后，学校却宣布将我开除，这就是班主任答应给我的"好处"。过了四十年，这所中学举办五十周年校庆，同时要编一部《同学录》，据说我是母校培养出来的最有成就的学生之一，母校来信向我索取照片及"几句话"，我写了"感谢我的母校给了我一个艰难的起点"寄给她。所谓"艰难的起点"，主要指学校宣布开除我那天竟将我母亲叫到学校，等校长在操场上当众宣布我是"盗窃分子"之后，让我母亲在众目睽睽之下与我见面。这大概是当时学校采取的教育学生同时教育家长的一种方式。我看见母亲慈祥地坐在学校长廊的板凳上迎接我，眼泪不禁夺眶而出，母亲却握着我的手说她决不相信我会盗窃，即使有人教我也教不会！我母亲没有流一滴眼泪，临走时只给我的母校撇下了一个礼貌而蔑视的微笑。

为了母亲,我彻底断绝了"意淫"的恶习。从此我天上地下人间什么都想过,就是没有再想女人。于是我的"青春期"就只能用另一种形式来表现。

我被学校开除不久就进了铁丝网,《唐诗三百首》给我种下的祸根终于茁壮成长并开花结果。那时社会上最危险的职业不是盗窃分子而是诗人,我这个资产阶级出身的年轻人既"盗窃"又偏偏要写诗,写的诗又不是《酬唱集》中的那一类,只能怪我自找倒霉。

所幸的是,据跟我一起劳改的犯人说:"坐三年牢见了老母猪赛貂婵",这话非常形象地刻画出长久见不到女人的男人会变得怎样饥不择食,把母猪都当成美女。我却正因为压根没跟女人接触也压根儿不想女人所以毫不感到性压抑的折磨。我见到猪,特别是我能宰杀的猪,一心只想怎样把它吃到嘴。有一年冬天在猪圈除粪,一头乳猪哼唧哼唧地朝我踱来,我估量估量手中磨得锃亮的铁锹再看看它的脖子,锹光一闪它小小的头颅就应声落地。我的手法快得像公孙大娘舞剑器:"来如雷霆收震怒,罢如江海凝清光",周围的犯人还有劳改干部连小猪的叫声也没听见。到收工的时候它的血也淌净了,我一把拎起它揣进怀里,回去和同号子的难友围着火炉大嚼了一顿。

若干年后有一部根据我写的小说拍摄的电影,里面的主人翁在苦难中曾想到自杀,于是很多人以为我也如此想过。殊不知我不但从没想过自杀,天天想的倒是怎样杀死可吃的动物,包括老鼠青蛙癞哈蟆;我从未想寻死,只想着怎样死里逃生。我曾读过一部革命小说叫《红旗谱》,别的都忘却了唯独记得一句话:"出水再看两腿泥"。

"出水再看两腿泥"! 这话说得多好! 和"涕泪满衣裳"一样总会激发起我的斗志。这就是没有女人没有爱情的"青春期"的好处,让我能在最艰苦的境地中免除性的煎熬,腾出全部精力充分发挥求生的本领。

没有女人没有爱情的"青春期"更加坚挺,因为这种"青春期"不含一点水分。女人、爱情、夫妻、家庭之类的东西其实是男人的软化剂,男人的心里滴上一滴柔情蜜意使全身骨质疏松,软弱无力。男人没有异性可以追求,"青春期"就表现为对同性的攻击。而这正是在劳改场所自我保护所必备的条件;你必须睁大眼睛,你不攻击别人别人就要攻击你。在狼群里你必须像狼一般精明、狡黠和阴沉。虽然一同劳改的都是知识分子,绝大多数跟我一样也受过唐诗宋词的熏陶,在社会上一个个衣冠楚楚,风度儒雅,但"互相监督""互相检举""互相揭发"再加上饥饿劳累,使我们逐渐不自觉地都退化成半人半兽。知识分子一旦有百分之五十一兽性,他们的攻击就更具有策略,那可比真正的兽类狠毒得多。我恰恰在人性的"青春期"羼进些兽性,可说是我莫大的幸运。过了"青春期"的男性犯人即使变成野兽,也只是一头老病的野兽,在"思想斗争"的荒原上别想沾着便宜。不管在天堂或在地狱,不论是神仙老虎狗,谁在"青春期"谁就充满活力。到后来,老弱的野兽斗智斗勇都斗不过处在"青春期"的野兽,一头头在劳改场所心衰力竭致死,剩下年轻的兽类更加伶牙俐齿,咬人都能咬到致命的部位。

今天,我在写这段历史的时候手都发抖。

六

我发觉如今解除了压力我反而时常感到忧虑、忧郁和忧伤,时时被通常说的"忧患意识"所笼罩。我弄不清楚这是人性的回归还是"青春期"逐渐衰退的现象。现在我感到困扰的时候就不由得怀念过去我的胆大妄为,即使被铁丝网圈住我仍要做困兽之斗。我至今还经常回味一无所有的轻松,深感有一分获得便多一分累赘,凡是我所拥有的全部是我的负担!

　　自我有效地使用过手中的铁锹之后,我才发现我不但会用笔还有挥舞冷兵器的武林功夫。我以为"青春期"的乐趣并不全在对异性的倾慕,更应该包括每天都可能发现自己内在的天赋,不断有潜力转化为能力。那迷人的三角区虽然对我毫无印象,但我仍然感谢她开掘了我的冒险精神,既然我十三岁时就敢从三层楼上往下跳,到了三十三岁我除了一套劳改服便身无长物,因而也就更加乐于冒险。我之所以没有从劳改队逃跑,仅仅因为那时普遍群众的生活比劳改犯人还不如。后来我多次赞扬过劳改队是当时混饭吃的最佳场所,而且犯人犯了法再无处可送,反而比一般群众安全得多。

　　我感谢命运在社会的变化中总让我待在最适合我待的地方。

　　写到这里我就不得不说我砍断一个农民手指的事。后来我投入市场经济创办企业大概得益于我有这份壮士断臂的果敢,而且没有女人没有爱情的"青春期",也只能以这样的冲动来发泄。

　　到我三十三岁那年夏天,劳改队长命令我去看水闸门。西北的初夏正是水稻小麦等作物都需浇灌的时节,因为"闹革命",水利部门也顾不上制定用水的分配计划,黄河灌区的所有农场公社都纷纷群起抢水,哪家人多势众哪家就能独占水源。城市里武斗是为了夺权,农村中武斗是为了夺水。几个十几个生产队经常在渠口混战,为一条渠一股水拼命的零星战斗此起彼伏,类似旧上海黑社会争夺地盘码头的帮派打斗。水闸,是抢水斗争的第一线,是攻防阵地的桥头堡,劳改农场几万亩农田需用的水就从这个瓶颈淌进来,"看水闸"这个任务关系到劳改队当年全部农作物的生死存亡。临战前,队长对我做了这样的动员:

"你比谁都壮(因为我比谁都会偷吃),又是'二进宫'(即第二次劳改,这在社会上虽然很不光彩但在劳改队常当做有经验的工作人员被赋予重任),我看你也不是胆小怕事之辈(说明队长很有眼光),你给我顶住!(口气像电影里的反动军官)谁来提闸门抢水你就给我往死里打!(意思是我哪怕被打死也不能后退,并不是真把打死人的权力下放给我)"

队长将这个大任降到我身上,所谓"士为知己者死",我一时间竟豪气冲天,二话没说扛上铁锹就毅然决然上了渠坝。实际上,水闸上如果没有人来抢水,"看水闸"不过就在水闸旁边一坐罢了,什么农活都不用干,会叫你轻松得无聊;平均每天劳动十几个小时,"看水闸"等于休养。然而"养兵千日用兵一时",如果有人来提闸放水,那就须看你的真本事。不是说着玩,为抢水打死人的事是经常发生的。

　　我在水闸旁的一棵柳树下坐了两天，带着一本《路德维希·费尔巴哈和德国古典哲学的终结》读得津津有味。劳改队长允许我看马恩列斯毛的书，只不过觉得这一长串书名罗里罗嗦，指导我应该多读《为人民服务》。但这书目虽长却是本小册子，倘若平安无事我就能在灌溉期读完。可是附近的农民却不让我潜心研究恩格斯著作，第三天半夜，月亮正升到头顶，成帮结队地来了七八个扛锹的壮小伙，黑黢黢地像堵墙似的往我面前一站。看见只有我一人躺在渠口睡觉，领头的大个子旁若无人的喊了声"扒！"若干年后我看金庸的武侠小说，看到"华山论剑"一章不禁哑然失笑，当时渠口上那气氛与"八大门派"在华山高峰比武竟相雷同。

　　我拄着锹慢慢站起来，镇静地向他们说理。我说："老乡，这几天还不该你们淌水，轮也该轮到我们农场了。今天你们要开闸放水，先得舍出条命来，不是我的命就是你们当中哪个的命。不信？咱们就试试看！"

　　老乡们七嘴八舌地谩骂，从我祖宗骂到农场的先人，好像我和农场属于同一个血统，劳改队是我天生的家园。现在叫我也无法将那些话一一复述清楚，总而言之是把我这个劳改犯不放在眼里，而他们都是贫下中农的什么什么"造反团"。

我笑嘻嘻地说，"不管你们是啥'造反团'，也敌不过我这个判了死刑的劳改犯。你们知道队长为啥单单挑我来看水闸？告诉你，就因为下个月我就要被拉去枪毙，今天就是叫我来送死的。死在你们手上我还能给家属挣点抚养费。来吧，今儿个夜里让你们成全了我，砍了我以后你们就放水。"

　　"造反团"的农民听了一个个面面相觑，啐道："想不到这狗日的比死人就多了口气！"嘀咕了一会儿，领头的大个子摆出一付宽大为怀的架势说："我们砍你干啥？你不要自己找死。你就待在旁边别动，你动一动我就叫你死不了也活不好！我们自己干自己的，你当作没看见就是了！"说着，一个二十岁左右的小伙子就抢步上前，弯下腰想提起水闸的闸门。我说，"我从来就没活好过，活着还不如干脆找死。我可跟你们打了招呼：你们不砍我我可要砍你们！我砍死一个也不能把我再枪毙一次，喂，老乡，你何必跟我一起去死？"

　　我接着说："你看我敢不敢!"

　　他又说："你狗日的敢?!"

　　我又接着说："你看我敢不敢!"

　　"你狗日的敢?!"

　　"你看我敢不敢!"

"你狗日的敢?!"

"你看我敢不敢!"

……

我俩就像狗似的对着叫,一声比一声接得紧,一声比一声响亮。这是世界上最简单的谈判。后来我才知道所有国间外交谈判的技巧不论多复杂,其原始形式不过如此。两次世界大战与无数次局部战争,谈判返回到最原始的阶段就面临宣战。眼看我寸步不让,大个子再不跟我搭腔,连声催小伙子往上提闸门。我估量估量手中闪光锃亮的铁锹再看看小伙子的脖子,发觉那脖子比乳猪的脖子粗得多。我的眼光在他周身游移,打量在哪个部位下手最合适。我想这就是我的"青春期"发作了,胸中陡然涌起一股带血的气,催动我好像非要和女人性交一次不可地非要往什么东西上砍一下才解气,不然我的"青春期"就会受到严重挫折。黑格尔说得对,所有战争都出于领导人的欲望,并不一定是衡量现实利益的结果。

承受着水的巨大侧压力的闸门不是轻易提得起来的,小伙子双手板着闸门的铁把手使劲摇晃了好几次,一股细小的水流才开始滋滋地从缝隙中往外冒。我一声不吭,冷冷地略微将铁锹往上一抬,看准小伙子握着闸门的手,"嗯"地闪电般朝下一刹。小伙子大叫一声"妈哟",一翻身滚进渠沟,在渠水里扑腾着"哎唷哎唷"乱喊。旁边的农民一时惊讶得愣住了：看来真碰上一个不要命的死囚犯！再没有一个人敢上前来提闸门，而小伙子的喊声却提醒他们必须赶快送他到医院。领头的大个子一边招呼其他人手忙脚乱地下渠捞起小伙子，一边扭转头猞猞地朝我吼：

"你狗日的等着瞧！你狗日的等着瞧！"

我收起铁锹狞笑着说："我能跑到哪里去？我等着你，我等着你！"

天一亮我就急忙向队长报告，队长连声夸我干得好，笑着说："看那些狗日的再敢不敢来！"队长反过去将农民的祖孙八代臭骂了一顿。而按照当时的理论，那些农民应该是他的"阶级兄弟"，和他同一个血统。所以我一直很理解"地方保护主义"，在这种主义的支配下，根本不顾法律不顾政策不顾道理而只顾局部的眼前利益。

我只向队长报告我用铁锹朝农民的手中"拍"了一下。其实，天蒙蒙亮时我在水渠边除了鲜红的血迹还发现一截手指。颜色青紫，像泡透的红枣一般大，没想到断指不但没有干瘪反而会自行肿胀。断面整整齐齐，中间却看不见骨头，只有针尖大一个小孔，但捏捏它还能感觉到肉里有个枣核般的硬块，那大概就是指骨了。指甲乌黑，指甲缝里还藏着从那小伙子家里带来的污垢。我拿在手里把玩了半天，还掂了掂它的份量，猜测它是哪一根手指；又像抚摸女人似的抚摸了一遍我的铁锹。它的锋利就是它的美丽。

剁了人的一截手指，我的"青春期"才得到性发泄似的满足。这天我畅快无比，觉得升起的太阳都比往常亮。若干年后在改革中我见到许许多多不正常的人和不正常的事都会淡然一笑。我们整整一代人的"青春期"就是这样度过的，现在他们已经成熟并且是社会的中坚，但你怎能叫人们立即就变得正常？

我一面读着人类的最高智慧，一面干着最野蛮的勾当，奇怪的是那时我心里毫不内疚。若干年后我才知道，原来这种两面性正是那个时代的主流。奇怪的倒应该是我在任何处境中都与社会的主流同步。

今天写到这里我自然而然地惦念那小伙子。他比我年轻，今年顶多五十岁出头。大半辈子少了一截手指，生活上劳动上一定很不方便。他肯定会经常抚着剩下的半截手指向他的家人朋友一遍遍愤慨地诉说当时的情景。但他不知道那"狗日的"犯人的名字，不知道到哪里去报断指之仇。我也不知道他的姓名住址，即使我现在愿意给予补偿也无处可寻。他那时也处在"青春期"，那次挫折也许会导致他终生冷酷狠毒或是胆怯懦弱。果真如此的话，我就损坏了一个灵魂。世界就是这样，毫不相干的东西毫不相干的人往往会偶然碰撞，彼此改变对方。

在我这方面，社会环境和个人条件一转变，我就经常为过去的所作所为感到歉疚。我真的不像有些人那样心安理得。社会既然不再伤害我，我也尽可能以善心对待别人。我把古堡废墟建成的影视城是当地文明的窗口，我企业职工享受的待遇在当地也是最好的，为我建影视城而搬迁出去的牧民，我对他们已没有任何义务，但我仍答应只要我活着便会资助他们的教育。为了那断指的小伙子，我也应该替善良的农民做些事。可是在另一些事情上，只要"青春期"一发作，我仍然会说不想说的话，干不想干的事。

譬如，我办的影视城有了效益以后，附近地头蛇式的个别基层干部竟然挑唆一些农民也像抢水渠似的来强占。一天清早，一帮农民雇佣军把手下的工作人员全部赶跑，由他们来出售门票。在市场经济初期这在全国都是常见的"无规则游戏"。我得知消息后一人驱车赶到影视城，果然看见乌鸦似的三五成群衣衫不整的人在我设计的影壁前游逛，见我到了，一只只就像谷场上偷吃谷粒的鸟雀那般用警辣的小眼珠盯着我。我又感到那股带血的气往上冲，那气就是"青春期"的余热。我厉声问谁是领头的。一只乌鸦蹦出来嬉皮笑脸地回答他们根本没人领头，意思是你能把我们怎么样？我冷冷地一笑："好，没人领头就是你领头,我今天就认你一个人! 要法办就法办你! 你看我拿着手机是干什么用的? 我打个电话下去就能叫一个武装连来!"乌鸦听到"武装连",赶紧申明他也是身不由己,人都是"上面"叫来的。我说,行! 既然"上面"有人你就替我给"上面"那人带一句话: 我能让这一带地方繁荣起来,我也有本事让一家人家破人亡! 今天的门票钱我不要了,赏给你们喝啤酒,明天要是我还看见你们在这里,你告诉你"上面"那个人,他家里有几口人就准备好几口棺材! 谁都知道我劳改了二十年,没有啥坏点子想不出来! 我冷冷地说完扭头便走,那"冷"的温度与准备砍人手指时的冰点相同。我当然叫不来武装连,更不会使任何人"家破人亡",但我深知很多违法者并不怕执法部门,却害怕比他更强更狠的人对他采取阴险的法外手段;以毒攻毒不失为一帖疗疮的良方。地头蛇式的干部亲眼看见我把一片荒凉变成一个旅游热点,他也完全相信我有能力叫他吃了苦头还有苦难言。第二天早晨,我手下的人又照常上班,好像什么事情都没有发生过。

对非法的事情必须有壮士断臂的果断,在无序的市场中我的"青春期"就时常发作。想不到我该度"青春期"时没有"青春期",年过花甲以后却常在"青春期"当中,或者说我度过的不正常的"青春期"正好培养了我现在善于对付不正常的事，又一起事件也能说明这点：我的影视城周边很不宁静，还有个别基层干部以家属的名义承包保护区内的土地进行蚕食，企图等影视城发展需要这一地带时他好高价转让。一天，这类"承包户"突然违背当地政府的文物保护通告，在他已失效的承包范围内挖渠植树，类似十六世纪的"跑马占地"，将我影视城外围的一面圈了起来。我本来懒得去理他，取缔它勿须我动手，那是当地政府部门的职责。但他却扬言雇了几十个农民，人人手拿铁锹，谁动他种的树就砍谁。他很聪明，知道非法占领如无人敢管，慢慢就会成为既成事实而取得合法的形式，大量的国家资产就是这样流失到地头蛇手里。但他失算就失算在扬言有"手拿铁锹的农民"。我一听见有"手拿铁锹的农民"就血脉贲张，刺激出我"青春期"的内分泌，仿佛又来了一次剁人手指的机会。听见这话的第二天清晨，我叫手下人开了辆推土机，我亲自坐镇指挥，不到一小时就将渠和树推得净光。我站在初升的太阳下焦灼地等待手拿铁锹的农民，如同年轻人在公园门口等待跟他约会的女友。

有的男人喜欢和女人亲热，有的男人喜欢和男人肉搏，从我断绝"意淫"后我就变成了后一类男人。我想，"青春期"的乐趣还应该包括"与人奋斗"。多年的劳改生活没让我学会一项娱乐，我的确趣味单调生活无味，既不玩牌玩麻将，也不玩保龄球和高尔夫，好玩的玩意儿我一样也不会，只剩下两样不好玩的项目让我玩，一样是"心眼"，一样是"命"。

归根结底，整个中国的市场经济社会也正在"青春期"当中，瞻前顾后冥思苦想拖拉疲沓犹豫不决畏首畏尾投鼠忌器四平八稳决不是"青春期"的风格，它需要的正是行动的斗志、特殊的活力和敢于迎接挑战的精神。

"出水再看两腿泥"，这话说得多好！

七

我的"青春期"没有女人没有爱情没有性欲。感谢苍天，他老人家为了安慰我或是为了平息我的欲念，竟打发了一对夫妻在我面前过了一次"夫妻生活"，从此更加败坏了我对这种"生活"的胃口，让我以为与女人性交是件很乏味的事，几乎使我终生性冷淡。

六十年代末，我剁了人的手指后不久，就从劳改农场释放转到就业的农场。就业的农场与劳改农场只有一渠之隔,鸡犬之声相闻,过一座摇摇晃晃的破木桥就到了,似乎象征着那时的人一不小心就会误入劳改队。

释放了的劳改犯并不轻松,反而又加上两个字,叫做"劳改释放犯",像古代在犯人脸上施行的黥刑,犯人即使释放了也永远消除不掉个"犯"字,不论走到哪里别人一眼就能认出来。劳改队释放我时,管教干部给我写的鉴定很好:"认罪服法,遵守监规,积极改造,世界观和劳动观有明显转变"云云,可见劳改队长并没有把我砍断农民手指当一回事。我以为拿着这样好的鉴定足有资格当个正式农工。可是到社会上一看,大多数人都须脱胎换骨积极改造,大多数人的世界观和劳动观都须彻底转变,大多数人都是形式不同待遇不同的罪犯,如同基督教原罪论主张的人一出生就有罪。我"二进宫"是因为"搞社会主义教育运动",三年后出劳改队又碰上"文革运动",没料到人是这样难教育,越搞政治运动犯罪的人越多,我当不当正式农工都无所谓了,反正大家都是犯人。

但无论如何,"劳改释放犯"还是低人一等,我到就业的农场报到第二天,农场革委会就把我分到"群专队"管制劳动。"群专队"全称叫"革命群众专政队",社会上每一个机关单位甚至街道都有这种组织,实际上是遍布全国各地的小型劳改队,革命群众可以任意把本单位的领导和"有问题的人"揪出来当"牛鬼蛇神",集中起来统一管制,强迫劳动。十年的"革命"把群众惯出目空一切无法无天的毛病，这毛病终于渗入民族的精神基因传给后代，致使今天许多有权势的干部成了地头蛇，许多无权势的群众成了无赖。这些人经常使我想起他们的前辈，招惹我有了一大把年纪还想砍他们的手指。

"牛鬼蛇神"四大类五花八门，什么人都有，从高官显贵到普通百姓，原来地位悬殊的人到了这里一律平等地都是坏人。进了群专队，我才知道我这个"劳改释放犯"比起其他牛鬼蛇神还有一定的优越，而且只有群专队才是我在社会上最适合待的地方。因为我没参加"文革"初期的派性斗争，虽然过去是出名的右派分子，现在却是和哪派都没牵连的中间人物，人称"死老虎"。死老虎当然不用再打了，活老虎才是革命群众批斗的重点。我身体好，没有思想负担也没有家庭累赘，劳动技能又比那些坐在办公室里吃人的活老虎熟练，所以"头头"对我颇为青睐，叫我带领农场的二十几只活老虎干活，令我受宠若惊，干起活来总是以身作则。

我说的这个男人原先是农场的技术员，农民大学生，"根正苗红"，属于天生下来就革命的那一类，不幸的是"文革"中站错了队，也被当做牛鬼蛇神送来"群专"。开始时我还搞不懂"站错队"是什么罪行，后来别的活老虎告诉我说他其实是个"二杆子",好出风头,在"运动"中爱"反戈一击",一会儿站在这边,一会儿站在那边,弄得"猪八戒照镜子",哪派都把他当成坏人。日久天长,我看出来他确实是个什么罪都不会犯的窝囊废,最大的罪过大概就因热爱革命而惹人讨厌。一说话吐沫飞溅,凭这点我就不喜欢他。他干活又疲沓得让我冒火,于是就成了我训斥的对象。过去在劳改队,训斥人的机会可不多。现在我不能辜负"头头"给我的权力,我也发现训斥人比挨训斥有趣。只有训斥人才能体现自己高人一等,难怪"革命群众"都喜欢双手叉腰。

　　我领着这帮牛鬼蛇神干了几个月,越来越体会到我踏入社会的好处:一则我可以当领导,二则我领导的又是社会上原来大大小小的领导,我这个非正式工人一步就跨到干部头上,逐渐就有点得意忘形起来。后来不知怎的形势又有变化,原来革命群众觉得斗这些牛鬼蛇神再也翻不出新花样,斗争重点又转移到自己人斗自己人上面,当时叫做"群众斗群众",农场的几派革命群众再次操起真刀真枪誓不两立地干仗。"头头"忙着要去"抓革命",牛鬼蛇神更要加紧"促生产","头头"索性把现场的指挥权都交给我,农田上工地上连来也很少来。我的权力无形中更大了,从小被灌输的"资产阶级人道主义"毒素又不自觉地旧病复发。我看那些被斗得头破血流、妻离子散又被严管了几年的牛鬼蛇神比劳改犯还可怜，就悄悄让一个"叛徒"和一个"特务"见了见他们的家属。这两只皮包骨的活老虎都快六十岁了，全身是病，不让他们跟家庭见个面于心不忍。这说明我并没有得到"脱胎换骨"的改造，劳改队给我的鉴定把我估计过高。

　　一个夏日的午后，天空忽然阴云密布，云层中不断爆发出顶天立地的闪电，狂风夹带着粗大的砂砾从乌云那边刮来，一股浓烈的土腥味直扑鼻孔，眼看就要下一场滂沱大雨。我和"二杆子"这天在马圈铡草。这个农民出身的农业技术员却不会最简单的农业劳动。给牲口用手工铡刀铡饲草，入草需有特殊的技巧，使每一刀下去铡出的草不超过一寸，几乎和机械切削的一样齐；掌铡刀把的只需用力气往下铡就行了。我是入草的好手，坐在土坷瘩上将一条腿的膝盖压着草，一入一入地非常有韵律。"二杆子"不会入草，只能腰一弯一弯地用傻力气铡。铡还铡不好，不是一刀铡不到底就是险些铡着我的手，气得我乱骂。两人干的活两人配合不好最费劲，一会儿就惊得我浑身是汗，"二杆子"也被我骂得浑身是汗。雨来得正好，我叫"二杆子"用苫席把刮得乱飞的饲草盖上，两人急忙跑到旁边的一间放轭具杂物的破土房去躲雨。

　　刚钻进四分五裂的破土房，蚕豆大的雨点就砸了下来。这真是一场豪雨,铺天盖地,从房门向外望去,人眼分不清东南西北。我和"二杆子"肩并肩挤成一堆。"二杆子"连声惊呼"好大好大",我也连声惊呼"好大好大"。除此之外我俩也无话可说,瞪着眼呆呆地看门外的雨幕。巴掌大的土房虽然快塌了却不漏雨,房里乱七八糟堆了些笼头缰绳还有一个麻袋。我扒开麻袋一看原来是喂马的黄豆,两人就咯嘣咯嘣嚼生黄豆充饥。

　　大约过了半个多小时,嚼生黄豆都嚼出屁来了,猛然间一个像从水里捞出来的女人出现在破土房门口,像个鬼魂似的吓我一跳,而"二杆子"却高兴地大叫你怎么来了。落水鬼一般的女人说我到那边去找你他们说你在这里我就到这里来了。"那边"是群专队另一处干活的工地,"他们"当然是指一帮牛鬼蛇神。我还没有醒过神来,"二杆子"就把女人拉进土房,又是撩她的头发又是全身上下替她擦。女人褴褛的衣裳上每一根破纤维都浸透了雨水,擦下的水全洒在我头上。我以为她是"二杆子"的女儿,"二杆子"看我发愣才介绍说是他老婆。"二杆子"把她擦出个模样来倒也楚楚动人,看上去只有二十多岁,透湿的衣襟大敞开着,白嫩的胸脯挺得很高,中间却有一条很深的壕,这条壕不知怎么竟使我有些恍惚。我怀疑地质问她要比你小十几岁怎么会是你妻子?那时候除了大干部,一般老百姓"找对象"都找年龄相当的"交配"。"二杆子"对我谄

49

笑着说是农村的。所答非所问，但我也不能断定她不是他妻子。我自己违犯群专队的纪律偷偷地开了让牛鬼蛇神接见家属的先例，不能不让"二杆子"与他妻子见上一面，只好坐在马脖套上听他诉说家常。

"二杆子"急切地问了他家里所有的情况，老人孩子柴米油盐等等等等，看来确是他妻子无疑。我一边嚼黄豆一边听，既了解到老百姓的困难也领教了有家的罗嗦，还不如我光棍一个利落，所谓"一人吃饱了连小板凳都不饿"。"二杆子"这时好像也不惹我讨厌了，破土房里有这样温情的对话，倒也解除了我和他相对无言的尴尬。

他俩亲热地絮絮叨叨说了一会儿。"二杆子"忽然嚅嗫地向我要求，能不能让他们过一次"夫妻生活"。他那眼神从来没有这样可怜，往常我训斥他他总朝我翻白眼，这会儿如果他有尾巴的话尾巴也会摇起来，而且说话时嘴虽然堆满黄豆沫却没有飞溅到我脸上。可是我一时没有弄懂"夫妻生活"是什么意思，难道这家伙要跟他老婆一齐逃跑回家？我怔怔地望了他又望了望那女人，女人低着头绞着手脸上又羞涩又忸怩的表情，方才让我有点明白。我不禁由衷地笑了起来：我并不是笑他俩要交配，而是由此知道交配还有一种说法。在劳改队一般用最粗俗的两个词，一个粗俗的动词加一个粗俗的名词；老百姓通常叫"睡觉"，正式用语叫"性交"，《阿Q正传》中叫"困觉"，古典文学中叫"云雨",稍稍直露叫"行房"或是"交媾",而我看过的多数小说中只有"事毕",原来"事毕"还可叫做"夫妻生活"!

就冲他用如此文明的词汇我也必须让他俩"夫妻生活"一次。可是我为难地说你们过这种"生活",我好像应该避开的吧,不过你叫我这时跑到哪里呢?"二杆子"听见我答应了,连忙讨好地说:

"哪能让你到外面去淋雨呢! 你把脸扭到一边就行了。

我刚把脸扭向门外,脑后的麻袋上就悉悉索索响起忙乱的声音,隐隐约约还有女人的呻吟。女人的呻吟叫我挺难受,一定是麻袋旁的铁制轭具碰疼了她,她大老远跑来看她丈夫什么也没得到,说不定还要受点伤,我有点懊悔允许他们过"夫妻生活"了。可是还没有等我分辨出远处隐在雨幕中的黑影究竟是来了个人抑或是棵树,仅仅嚼两颗黄豆的功夫,"二杆子"就长长地叹一声像昏倒似瘫到我背上。

"咦!"我诧异地问,"你们过完'夫妻生活'了?"

"二杆子"如同刚铡了一大车饲草,疲惫地咕噜一声:"完了……"

我又由衷地大笑:原来"夫妻生活"的时间和牲口交配时间一样,两边一碰就"授精"了。怪不得旧小说中凡描写到这种事一眨眼就"事毕",叫我这个读者摸不清究竟是怎么一回"事"。这样说,"云雨"即使如旧小说中描写的"欲仙欲死",而只当一两分钟的神仙又有什么意思?死那么一两分钟则更加危险!这使我从此以为"行房"也好"睡觉"也好"交媾"也好"性交"也好"夫妻生活"也好两个粗俗的词加起来也好,都乏味透顶。

我当着他夫妻两人的面痛快地放了个响屁。

八

现在时常有一股悲悯之情,像"青春期"时会从胸中涌出一股带血的气似的从我心底往上泛起。也许这是我已衰老的征兆,过去我可不悲天悯人。但是我的悲悯又不知对谁悲悯,向谁施用心底的悲悯,于是常常仰天浩叹。我周围的人已经习惯了我的叹息,却不理解我为何而叹:看书也叹看报也叹,看见盖起高楼也叹看见大桥变成废墟也叹,听见好事也叹听见丑闻也叹,受到赞扬也叹受到攻击也叹,成功时也叹遭殃时也叹,甚至休息闲散时也叹,到了无事不叹、无病呻吟的地步。我想我弥留时绝对不会有一句完整的话，大概也和"二杆子"过完"夫妻生活"一样，只有长长的一声叹息：

"完了！"

但我既不为人而叹也不为自己而叹。我感谢命运对我如此钟爱，凡我遇见的人和经历的事，命运都像拿着个橘子一样在我面前翻来覆去地卖弄，仿佛是让我看清楚却又不让我看清楚；而且命运一会儿把我拉下来一会儿将我抛上去，使我一阵子明白一阵子糊涂。所以最终我仍不能深省人情世故，在我自以为觉悟时我又悟到并未觉悟，一生都在明白与糊涂之间。我开始学书法后常有人向我索字，一次我问一位求字者你想要我写什么话，求字者思忖着叹了口气，说他就喜欢郑板桥的"难得糊涂"，好像他怀才不遇屡遭排斥是因为他明白过度。我听了又不由得大笑，我说，你和我一辈子从来没有明白过，连郑板桥在内都糊糊涂涂过了一生，"难得糊涂"从何讲起？于是我大笔一挥给他写了幅"难得明白"。后来我听说他还不愿挂在墙上，因为很多人自以为聪明，他的所知就是整个世界；又有很多人根本就没想探个究竟，糊涂也是这一辈子，明白也是这一辈子，不明不白最容易过日子，"搞"明白其实是件很痛苦的事，在明白与糊涂之间才是一种幸福的状态。到了老年我才知道这是命运给我的最好赏赐，我的叹息是一种感恩的表现。

前面说过，我跟群专队的牛鬼蛇神每天一起劳动，渐渐地对他们有些同情。他们当干部的时候犯什么错误我不知道，也没看见他们高人一等时怎样颐指气使，压迫群众，只看见今天他们不但在"头头"面前而且在我面前也低眉顺眼，卑躬屈膝，日子比劳改犯人过得还艰难。劳改犯人一回到号子便另有一片天地，一个个蒸、煮、熬、烤从工地捎回的各种野生动植物，然后慢条斯理地一口口享受；劳改犯压根儿不想过去未来，想家也只想家里会给他们送来什么东西。这里的牛鬼蛇神却天天要检查过去、汇报现在、保证未来，还要写揭发材料应付外调人员，仿佛他们的一生都在这里挤压成一堆，所以连睡着觉打着鼾都一付愁眉苦脸。

革命群众对活老虎可不留情，折磨起它们来花样百出，心狠手辣。有时晚上也拉只活老虎出去耍一耍，被拖回来时肯定头破血流像真死了一样。别的活老虎都不管，只有我偶尔起来替半死的老虎包扎一下。每到这时我就想起读过的革命小说，那上面描写旧社会革命者蹲监狱的某种情景似乎和群专队有点相仿。我没参加"文革"当然不懂得"文革"的大道理，也没时间拜读那些长篇大论的文章，可是仅凭这点我的感情就倾向挨整的干部，直到发生了下面我要说的这件事。

夏天过了是秋天，秋天过了是冬天，日子就这么过着而我并不觉得难过。若干年后我反而很向往那段时光，劳改队群专队都常再现于我后来的梦。梦见我又被抓起来我并不会惊出一身冷汗，却有一丝再次获得青春期的欣喜，我似乎天生就适应面对挑战。我理解为什么千千万万"知识青年"当年被迫上山下乡到他们不应该去的地方受苦，今天他们回忆起来却一个个高唱"青春无悔"。我和这些老了的"知识青年"有一致的感受，我们怀念的是那段"青春期"中的青春，青春不论放在哪里都是人生中最光彩的一段时期；青春期即使"无奈"，到了中老年也渐渐会变得"无悔"。这大概也是一些人总是偏袒过去的罪恶甚至加以美化的原因之一，谁愿意承认自己的青春耗费在毫无价值的事情上面？

是的，青春期时看到的太阳也与现在的太阳不一样。一次我在美国的印第安那州去游览印第安人保留地，高速公路边突然"哗"地一声巨响，落下一轮巨大的彤红的夕阳，美丽得叫我对她无可名状，我想了半天才想出最贴切的比拟：那就是与我劳改期间在旷野上看到的落日相同！命运恰恰让我的青春期逢到那样的时辰，我别无选择，到了老年我对生活的感受都会以那时的体验为基准。

那时，我读的每一页书现在都能记住，现在读了哪怕只是一句短短的警句转眼便会忘掉。老年人容易僵化就在于衰老的大脑再不能容纳新的事物，我们只能是传统的载体。如今叫我复述我昨天干了什么我说不清楚，让我讲三四十年前的陈芝麻烂谷子却会唠叨个不休。

闲言少述，且说日子就这么过到冬天，北方农田里的活计就不多了，农村普遍将这几个月叫做"冬闲"。但革命群众当然舍不得让群专队的牛鬼蛇神闲着，这样驯服的劳动力在世界上再也无处可找，而且只有不停地强迫劳动才能把坏人改造好。田里的活少了而居民区附近的活还很多，要想找活来干世界上会有干不完的活。农场的"头头"把牛鬼蛇神们的工作做了番调整，还命令全体都要写"年终保证书"，主题不外是服从服从再服从，要主动自觉地配合革命群众对自己的管制和监督。别的牛鬼蛇神分的活都较重，甚至一会儿叫把这里的土坯搬到那里，一会儿又叫把那里的土坯搬回原处，来回折腾人和土坯。我至今也参不透这种重复的简单劳动怎能改造人的思想，而据说猴子就是通过来回搬运土坯慢慢进化成人的。

分配给我的活儿却是打扫厕所。别以为打扫厕所是件肮脏的差使，那可是革命群众对我最信任的表现，因为其中有一个厕所在原来的干部家属区，如今那里住着新上台的"头头"又称为"革干"的及他们的家属。那一带平时绝不让牛鬼蛇神们出入，说是要严防坏人投毒暗害、伺机报复、拉拢革命后代或者偷听"小道消息""最新指示"等等。但我每天上午下午都能扛着铁锹镐头在那禁区出出进进，铁锹镐头在那时都被看作凶器，居然没有一个"革干"或他们的家属孩子过问。革命后代还喜欢跟我玩耍，常用木头小手枪瞄准着我"嘎嘎"地射击，他们的母亲见了也并不阻拦，好像我已经成为他们中间的一员，我既感到革命群众的温暖又感到自豪，用当时写在保证书上的话说："决心在革命群众的监督下，用战无不胜的毛泽东思想攻克非无产阶级思想意识，通过打扫厕所改造自己腐朽的世界观，让革命群众无后顾之忧，全心全意贯彻执行毛主席革命路线。"

农场的厕所美其名曰厕所，其实都是土坯砌的三面墙加一顶芦苇棚。男女之间 也只用一推就倒的土坯墙隔开，每边挖出七八个蹲坑，一堆堆粪便都暴露在光天化日之下，每天早晨每个坑都堆得冒尖，常使我不禁猜想人的屁股要撅多高才能排泄，粪便掉下来一定跟炸弹一样。幸亏是冬天，臭味还能让人忍受。但我以那种激昂饱满的热情去打扫它，即使臭气冲天我也不会叫苦，何况既来去自由还不受风吹雨打。我一进到厕所就像工人进入车间，甩开膀子就大干起来。掏厕所的工艺流程很简单，用铁锹将粪

57

便——从粪坑中铲出挑到厕所外的土堆上，再用土把粪便们盖住，一层层往上加，让它们发酵后就成了最好的农家肥。然后在粪坑中均匀地薄薄地洒上一层细土，一间厕所的作业便告结束。

居民区共有五个厕所八十几个坑，这使我懂得怎样去测算一个机关单位的人数，后来我访问过许多国家地区的许多机关单位学校，我一上厕所便能大致知道这座大楼里多少人活动。所以我不同意说中国知识分子的知识素质较差，中国知识分子积累了任何其他国家知识分子所没有的经验。同时我也的确体会到"思想"的威力与它对"促生产"的重要作用，干了几天我 就达到很高的专业水平，能分辨出"革干"的粪便与工人的粪便、大人的粪便与小孩的粪便、男人的粪便与女人的粪便、身体健康的与患有疾病的粪便等有何不同。遗憾的是这种知识始终未被学术界承认，不然的话我可以就此写出好几篇论文。

可是，十几天下来有一个现象越来越让我迷惑不止。从我第一天打扫就发现有的粪坑里有带血的医用绷带和各种纸张，血色有的鲜红有的深紫，而且这些带血的物件只出现在女厕所这边。刚开始还没有引起我十分注意，然而每天都有每次都有则不能不令我感到惊异。在这种"大好形势"下我只能想到这不知又有谁挨了打，难道这农场除群专队之外还有另一个关押活老虎的秘密地点，而且关的是活的母老虎？虽然这并不关我的事却激起我的好奇，弄得我每次去打扫厕所都目光叵测，两眼像贼似的四处瞄来瞄去，想发现带伤的妇女从何处来、回何处去。但来上厕所的女人们都没有异常的表现，只不过有的矜持有的还没进厕所就开始脱裤子。出了厕所一个个都一脸轻松，有的女人还哼哼唧唧地唱革命歌曲，回去也只回自己的家。

　　我的"资产阶级人道主义"余毒真无药可治，解开这个谜成了我每天打扫厕所的主要目的，好像侦察员负有某种特殊任务，打扫厕所不过是一种伪装。虽然我并不能去解救谁，但我想我还是可以表达一点小小的同情，眼看女人如此大量流血怎能无动于衷？对这些带血的物件我也进行了仔细研究。研究的结果如下：一，少数是医用绷带和烂布片，多数是各种纸张，有旧报纸、毛边纸、草纸、甚至还有农场的信笺、学生的课本作业一类废纸；二，所有带血的物件都有折痕，血色在中间突起的折叠处最深，看来受伤的部位在肢体的夹缝之间；三，受伤的妇女不止一人，但受伤的部位却完全相同。最让我奇怪的就是这第三点。革命群众折磨雄性活老虎总是劈头盖脸不加选择，经常弄得老虎们全身是伤，为什么打起女人来却专打一个地方？

　　后来我常常为自己的无知羞愧，也觉得自己的幼稚可笑，但再后来我便渐渐能用一种平静心情对待一切，因为再后来不断发生的事使我终于领悟到人们的一生都处于无知和幼稚的状态。当时觉得非常重要紧迫非常担忧或非常可笑可喜可乐的事，事后都会发觉全部是"空自悲"或"空欢喜"。人像无知的木偶一样总是被命运所拨弄，在人生的舞台上跳上跳下跳来跳去。即使活到一百岁的人也是幼稚的小孩。领悟到这点，就能够面对现实任何状况处之泰然，不过面对现实的这种镇静平静却是让你吃饱的最后一口馒头，你不经过情绪的所有波动波折，决不会把人生这顿饭吃饱吃腻。

感到忧虑的并不值得忧虑，感到愤怒的并不值得愤怒，感到苦恼的并不值得苦恼，感到高兴的并不值得高兴……所有一切都是虚幻而非真实，连自己的存在也如一片浮云，于是我便达到一种境界，然而，到此时，我同时知道了我的"青春期"已到了尽头。

但是那时我还在"青春期"当中，被带血的物件弄得心烦意乱神魂颠倒又一直侦察不出原因，我终于再也忍耐不住告诉了牛鬼蛇神，想调动起大家的聪明才智共同查找另一处神秘的群专队。据说那天晚上的一瞬间是中国"文革"史上牛鬼蛇神开怀大笑的顶峰，后来听到解放他们的"最高指示"也没有那份高兴。给能牛鬼蛇神营造如此欢乐的气氛，是我对"文革"的一大贡献。全体二十几只活老虎笑得前仰后合，姿态千奇百怪，笑声鬼哭狼嚎，有两只活老虎还笑出了老虎的眼泪。等他们笑停当了我才知道那是妇女每月要来一次的"月经",同时也知道了那是从女人哪个部位流出来的。原来,旧小说中常有的"身子不干净"、"身子来了"或'流红"等等就是指这件事。"流红"虽然与月经很接近,但谁能将"花落水流红"这样艳丽的词语与污秽的粪便联想在一起?旧小说那样隐晦真是害人匪浅!我们现代小说写得如此直露倒是文学的一大进步。

我也惭愧地跟着笑。"叛徒"说我的疑问是他一辈子听见的最可笑的话,他将来一定要传给子孙后代,不能让这样可笑的事轻易埋没;"特务"说难怪要把我反复改造,因为我充分印证了"高贵者最愚蠢"这句至理名言;老"地主分子"笑得差点断了气,在草铺上咳得死去活来;"反革命分子"非说我是装傻充愣,不过夸我表演得很逼真,"笑一笑十年少",谢谢我使他能多活十年;"二杆子"又把吐沫飞溅到我脸上,但因为我让他和他老婆过了一次"夫妻生活"所以极力维护我,说他相信确实是无知不是我装傻,还举出他们村里过去有个秀才活到三十多岁也不懂得"夫妻生活"来证明"读书无用论"。

接下来牛鬼蛇神们便讨论起我看到的那些带血的物件。乱七八糟杂乱无章,什么软性材料都有,有经验的人士认为这对他们来说倒是件新鲜事。据他们说,一般妇女都用布缝制成一条专用的带子常备着，"身子来了"就在带子上垫上草纸夹在阴部，他们还诲人不倦地用火柴棍在泥地上给我勾画了幅草图，让我明白哪根布绳跟我们男人的裤带一样缚在腰上，带子又怎样与腰上的布绳相连，草纸垫在什么地方以及怎样使用等等，等于给我上了一堂妇科知识课。我一边听一边觉得女人的生活比起男人来既复杂又麻烦，怎能让妇女跟男人一样劳动？但他们说新社会的劳动妇女有权每月享受一次叫"例假"的三天假期，这就是对劳动妇女的照顾。我点点头说这还算是人道主义。而他们又说劳动妇女虽然享受到"例假权"却丧失了起码的讲究卫生的权利，因为"抓革命"抓得社会上连草纸也供应不上了，如今只有上山下乡的女"知青"回城探亲能带些草纸来，农场农村的普通妇女只好手头有什么就用什么。那医用绷带肯定是医务室的小王小李撂下的，除了她们，别的女人哪有那样方便？

　　说到这里，"走资派"忽然皱起眉头说应该揭发检举，这是一种严重的假公济私行为。医用绷带属于国家财产，怎能让个人随便拿去垫月经带？小王小李从护士学校毕业分配到农场，当年是他批准转正的，现在却一个个参加了"造反派"，可恨可恨，"是可忍孰不可忍！"于是欢快的气氛一眨眼就变得非常气愤而严肃，牛鬼蛇神一个个咬牙切齿，用当时的话说是"露出了他们的真面目"，果然不仅是老虎而且还活着。原来任农场政治处主任的"判徒"深思地说要好好研究研究,从这里我们可以"找到一个突破口"。那间厕所是"革干"和"头头"们专用的,如果发现他家属用印有"最高指示"或伟大领袖照片的报纸当草纸,就是非常严重的政治事件,可以与"恶毒攻击伟大领袖"联系起来,当时为这事被枪毙判刑的男男女女可不少。这个创意很快得到号称为"叛特反资"的牛鬼蛇神们的响应,个个都赞扬此计大妙大妙!

可是谁去发现用印有领袖头像或"最高指示"的报刊书籍当月经纸的"恶攻"罪行呢?当然只有我才有这个机会。于是"叛特反资"们一齐动员我去"收集材料",说这是一个十分重要的"政治任务","文革"是一场深刻的"政治斗争",我作为一个改造好了的右派发子应该积极投身到这场运动中来将功赎罪,为捍卫毛主席革命路线作出应有的贡献。我迟疑地问这种事情是不是太下流?"叛特反资"一致说"政治斗争"就要这样不择手段,你没看见他们把我们整得遍体鳞伤?这说明他们执行的是"形左实右的反动路线",我们和他们之间已经是你死我活的敌我矛盾,必须下定决心排除万难把"无产阶级专政政权"夺回来。他们东一嘴西一嘴七嘴八舌说了许多,我一时也不能领会得很深刻。总而言之这个任务非常光荣,接受它就是接受"伟大的

63

无产阶级文化大革命的洗礼"。"走资派"还许愿说等他们将失去的权力夺回来以后,要把我当作"人民内部矛盾"看待。

一个难题解决了又来了更大的难题。我不参与他们的"政治斗争"就是不捍卫毛主席的革命路线,就是不忠于"无产阶级专政",而参与政治斗争的第一个光荣任务竟然是去检查月经带! 我不知道带血的报纸是什么东西还可以接受,知道了它的来龙去脉真有点不堪入目。但原政治处主任即"叛徒"用深沉的炯炯目光盯住我说,这可是对一个右派分子的政治考验,不要看那些"造反派"现在张牙舞爪,对你还假惺惺地表示信任,但他们是"兔子尾巴长不了",伟大的无产阶级文化大革命必将取得最后胜利,大好河山仍然会回到无产阶级革命干部手里,孰去孰从,希望我三思。

原政治处主任不愧为政治处主任,擅长于做思想工作,口齿伶俐引经据典,富有逻辑性及说服力。见我低着头不作声以为我默许了,于是教给我具体的步骤方法:第一步,查看女厕所内有没有这种月经纸,如没有,下一步就密切注意哪家的家属上了厕所后留下这种东西,如果有了,就能够肯定是哪个妇女使用的。然后我把它捡回来交给他们,由他们写揭发信向更高一级的"军管会"检举。到时候月经纸是重要的物征而我是一个重要的人证,被月经玷污的领袖头像和我一起将呈堂证供。我必须挺身而出坚决捍卫伟大领袖,将那个罪该万死的"革干"家属送去枪毙,株连着那个"革干"就被拉下了马,这是我千载难逢的立功机会! 一番话既是战斗动员又是战斗布置,与当时流行的"反特影片"如出一辙,听得我五内翻腾全身发冷。没想到人心如此险恶复杂,政治斗争这么残酷肮脏,还不如待在劳改队安稳。

第二天清晨我扛着铁锹扫帚昏头胀脑走进女厕所,果然有不少月经纸在等候我检查,果然与往常一样多数用报纸当草纸。这又给我增加了一条学问:从用什么材料代替草纸上可以推测出这位妇女的生活水平,也就是她在农场的社会等级。知道了血污的报纸是作什么用的我竟生出一丝怜悯,哪个妇女乐意把这样硬的纸夹在两腿之间? 来回走几趟肯定会被磨得表皮出血。

我铲出粪便时稍稍留意了一下,血污的报纸上并没有什么"最高指示"或领袖头像,可见得革命妇女的谨慎小心与对伟大领袖的热爱虔敬。但报纸上不论是新闻还是文章,连篇累牍都有"为人民服务",几乎每隔一两行就会出现这五个字。当时规定毛主席语录在报纸上全部要用黑体字印刷,"为人民服务"虽然是毛主席的话,可是在文章中这五个字并没有用黑体字排版,这能不能算作是"最高指示"拿去检举揭发？我盯着"为人民服务"颇费了番思量，看来牛鬼蛇神们的"突破口"很难找到，我立功赎罪的机会也很渺茫。那时，打人的人民与挨打的人民都和乡下老太婆念诵"南无阿弥陀佛"一样同唱"为人民服务"。"为人民服务"就这样被月经的血污所浸泡。

我打扫厕所从来没有恶心过，这天早晨却忽然对着带血的"为人民服务"呕吐起来。

人啊，你叫我怎能怜悯你！

九

若干年后，中央电视台现场直播采访我的节目，主持人要我用一句话概括"名人下海"几年来的感受。酸甜苦辣，感觉良多，但事先没有准备却限定我用一句话来表达，我哪有本事在瞬间精炼浓缩？然而面对着摄像机我自然想到电视屏幕，由电视屏幕又联想到屏幕上出现最多的广告，我就不加思索地说出平时看见某种广告时的感慨，我说：

"要实现个人的最大利益，必须首先把别人的需要放在第一位,所以市场经济本质上是'为人民服务'的经济。"

节目播出后很多人都认为这句话非常精彩,提炼出了市场经济的本质,不少报刊还转载引用,但观众读者肯定想不到我这话是怎样临场发挥出来的。前面说过,到了老年我对生活的感受都会以当年的体验为基准。当年我的无知及血污的报纸给我留下的印象太深,如今我每看到电视上妇女卫生巾的广告,那些血污的"为人民服务"必定又会在我眼前浮现。我惊叹于现今妇女卫生巾的品牌繁多规格不一,令人眼花缭乱目不暇接,大概可以全部满足妇女们在各种场合的需要。坦率地说,任何商品供应的丰富对我的感触都不如小小的卫生巾令我感动。妇女们不再受硬梆梆的报纸折磨,"为人民服务"也终于摆脱月经的血污恢复它原本的意义;中国目前需要社会改革及改革的困难,就因为过去开出的"为人民服务"的空头支票太多而今天又必须兑现。

由此我常想:赚钱当然是每个商人的首要目的,而要能赚到钱就必须时时刻刻考察、研究、试验并满足人们生活的需要,只有迎合人们的需要、满足人们的需要才能把钱赚到手。商业活动实际上是一种互为满足、相互服务的活动;在市场经济中每个人都具有双重身份,既是买方又是卖方,一次成功的商业活动就是我为你服务你为我服务。表面看来人人都只顾自己，客观上却是人人都在享受别人服务的同时为别人服务，在为别人服务的同时享受别人的服务。每个人获利的多少决定于他能多大程度满足别人的需求上，不能很好地为人们服务他个人立即会受到损失。任何个人如想最大限度地追求到自己的利益，就必须最大限度地把别人服务好。商人之间的竞争归根到底是争取比对手为顾客即"为人民服务"得更好，竞争一方的失败及损失，却会在宏观上使顾客即人民与社会得到更大的利益，提升人民的享受水准和社会的进步程度。甚至可以说，提高人民享受水平和促使社会进步，必须要以一部分商业活动的失败为代价。但在商业活动中失败者并非固定的，而每个人都天生有趋利避害争强好胜的本能，于是便激发出每个人的竞争性从而无限度地激起人与社会的活力。这就是市场经济社会的"生物链"。这样，"为人民服务"的口号就真正落实并贯彻于所有的链环当中。

虽然生活把人情颠来倒去让我观察，从而使我觉得人不值得怜悯，但生活又颠来倒去地让我感到人还是应该有怜悯之心。因为后来我偶然遇见一个女人，她用她的怜悯最终将怜悯深深根植在我的心里。使我后来在某些时候即使明知会上当受骗，也不愿放弃一次可能帮助别人的机会。

幸亏我没有完成"叛特反资"交给我的光荣任务,没找到带血污的印着"最高指示"或领袖头像的报纸,也就是说没有参与什么"政治斗争",到第二年开春,农场的革命群众开始一个个解放牛鬼蛇神,第一个得到解放的竟然是我这只死老虎。

毕竟我与"叛特反资"一起劳改了一年多,我出群专队时牛鬼蛇神们都依依不舍地与我话别。"走资派"夸我确实改造好了,将来他一定派我当农场所有的"劳改释放犯"的队长,让全体"劳改释放犯"都向我学习。虽然我没有把哪个"革干"家属送去枪毙,原政治处主任即"叛徒"并不计较,仍真挚地握住我的手鼓励我出去以后还要好好改造。"二杆子"吐沫飞溅地说他最终发现"五类分子"中也有好人,以后他继续革命时一定要注意掌握毛主席"区别对待"的政策。还有的请我给他的家属带话,说他很快就能回家。他们的热情弄得我也热泪盈眶。

出了群专队还不是正式工人,只不过以被管制的右派分子的身份和正式工人一起劳动。在群专队我大小还是个领导,跟正式工人一起劳动我反而成了众目睽睽下唯一的监督对象,革命群众对我的宽大倒使我更加难受。从劳改队到群专队再到正常社会,在我身上体现的是每况愈下,于是几乎在我意识里种下了"劳改情结"。

可是出乎我意料的是革命群众掌权的农场"革委会"居然批准我回北京看望我的母亲,凭这件违反当时常规的事我至今仍认为即使把社会搞得再乱,人与动物还是有区别。况且这次探亲假还不是出于我的请求,只不过大伙儿在田里劳动时一个小"头头"跟我聊天聊得高兴了偶然说了句:"你还是可以回家探亲的嘛!"我赶忙问探亲假需要什么手续,他漫不经心地说你打个报告交给我就行了,说这话的时候还给我挤挤眼睛。我不懂他挤眼睛的意思,我观察他并没有挤眼睛的习惯,可是他为什么偏偏说这话时向我挤眼睛?他的动作使我苦苦思索了很长时间,想搞清楚他有什么暗示或弦外之音。待我若干年后神经正常了,才知道世界上大约有一半以上的动作是无意识的,因而世界上也有一半以上的思索是无意义的思索。

探亲假的报告很快便获得批准。我只有三十几块人民币就爬上火车。这点钱还是"叛特反资"们凑起来借给我的。在劳改队我曾听说现在坐火车不要钱,可是上了火车才知道"大串连"的好时光已经过去,一节节车厢像拎着肠子捋油似的查流窜分子和不喜欢买车票的"知青",可见待在劳改队群专队听到的消息总是姗姗来迟。但我虽然没有钱却有"青春期",列车员不停地将我查下去我不停地向上爬,一千多公里铁路我乘了七天火车也终于到达北京,有六晚上都是睡在免费的候车室。有"青春期"的好处就是没有钱也能跑遍世界。

下面要请读者原谅我不写我怎样与母亲见面。在我另一部题为《习惯死亡》的小说中我曾有过一点点叙述，即便在那本书里我也不愿写得太多。我与我那位死去的好友相似，要把对于自己来说最珍贵的东西留给自己。一个作家总要有完全属于个人的私有精神财产；在一生的情感与一生的遭遇中，有些东西是和自己整个生命紧紧相连的。那是我安身立命的根本，是我生命的根系，如果将根暴露在外面，我便不能再很好地吸收土壤中的营养。哪一位作家如果把根系刨出来出卖，说明他已江郎才尽，即将枯萎了。我大半生经历的生活已经丰富得过于沉重，我的母亲是我利用这些丰富得沉重的生活的动力。现在我将我母亲抱着我的照片悬挂在书房的墙上，她的微笑鼓励着我不断写下去。

她从一个贵妇人沦落为在街头靠手工编织毛衣糊口的老太婆，仍始终保持着高雅的风度。我想，只有受过旧社会高等教育的妇女才经得住人生的反复折磨。她虽然身材矮小骨瘦如柴却是一个文化的载体，即使变成化石也令人敬仰；她好像是一座贵族文明雕塑出的塑像，专门留给后人瞻仰那过去的永不复返的时光，并且时间越往后越会放射出古典的光泽而日久弥新。她老人家和我刚在一起过了三天愉快的天伦之乐我就被"小脚侦缉队"抓去。我以为"小脚侦缉队"这个词语应列为中国"文革"词典中重要的条目之一，那是无孔不入的专制统治下的一个范例。一群大字不识的"居委会"老妇少妇居然在堂堂的首都有权抓任何她们认为可疑的人，而那时可疑的人又源源不断抓不胜抓，迫使她们像会说话的警犬似的白天黑夜兴致勃勃地挨家挨户搜查。抓住后就交给派出所，派出所既是她们的总部又负责收集她们的捕获物。而堂堂首都的派出所竟然将被抓来的男男女女可疑者不分青红皂白地关押在一起，首创了世界监狱史上男女混合关监的记录。

关我的派出所位于北京最繁华的区域，两进华丽的四合院原先是清代一品大员的官邸。这应该是集中体现中国城市文明的地方，可是在偌大的院子里派出所只拨出一间不到三十平方米的平房，关进四十多名男女。四十多名男女嫌犯都往一个马口铁桶里排泄大小便，满了后才让值班的嫌犯提出去倒进后院的厕所。我至今也弄不明白派出所是因为房屋紧张还是有意如此安排来作践人的尊严，或是要在男女差别的观念上来一场"彻底革命"，以便加快实现伟大领袖发出的"男女都一样"的号召。幸亏牛鬼蛇神们给我上过一堂妇女卫生常识课，不然的话我看到女嫌疑人当我面换月经纸肯定会大惊小怪。女嫌疑人在这里哪顾得上羞耻,要么将前面对着众人,要么将后面对着众人,而前后两面都是女性最隐秘的部位,只好索性大大方方地彻底公开。值得一提的是四十多名嫌犯中有七八个十四五岁未成年的孩子,每当女嫌人大小便时这些孩子们都从始至终观赏到底,现在想来他们的青春期肯定会受到严重影响。

　　我想尽快结束这一段落。我与一些不喜欢揭露"文革"的人士一样,不喜欢暴露那些丢中华民族的脸却又不应由中华民族集体负责的事。但我想我还有权利写自己。简洁地说我在臭烘烘的牢房待了五天,没有人来提审也没有人来问你是谁。每天早晨男人看女人解手女人看男人解手以后,由一个女"工宣队"指挥嫌犯们合唱《东方红》和《大海航行靠航手》。女"工宣队"严厉地规定大家都必须看她指挥而她却没有起码的音乐常识,大概她在指挥合唱中深深享受到指挥人的乐趣,她指挥错了总责怪男女嫌疑人唱错了,不时地用指挥棒敲打人头,人头仿佛成了她的打击乐器,弄得人人都紧紧张张地抱着脑袋眼睛盯着她唱。男男女女关在一起同在一个桶大小便的牢房里却从早到晚歌声不断,让不知情的外人听见还以为这群男女在欢快地干什么风流韵事。
　　我是母亲的灾星而母亲是我的救星,她老人家总是出现在我最困难的时候。我母亲每天提着饭盒给我送两餐饭。我吃着红色的高粱米饭加几条青菜和几丝榨菜,她就在窗外安详地等着,仍与那天我被开除时一样。那几条青菜和几丝榨菜在红色的高粱米饭上每一餐都摆放着符合欧陆西餐的拼盘规格。这时她仍保持着西方上层社会的礼节,即使对儿子也不盯着看我吃饭,目光镇静地看着在派出所进进出出的各色人等,那君临一切的气度俨然她是这旧日官邸的女主人。

直到今天我也想象不出她在窗外对一个已三十多岁却身败名裂陷入囹圄又孑然一身的儿子作何感想。但我肯定这是她生产我的时候绝对没有料到的。当她第一次看见我带着她的血的面孔,她一定对我的未来有非常高的期望。而她的坚强就在于她能很平静地对待她完全预料不到的事,她接受恶劣的命运就像接受贺卡,拆开来看看便无所谓地放在一旁。对我被开除被劳改被群专直到被"小脚侦缉队"抓走,她就像看婴儿学步的妈妈早知孩子一定要摔跤跌倒才会走路似的,毫不惊慌更不责怪我。我从来没有听她老人家发过一句牢骚,她实际上很希望国家富强因而很拥护革她的命的革命。革命革得这样糟糕也是她老人家没有料到的,但她还是无言地将这一切当作意外地接到了一张陌生人寄来的贺卡收下。她常在窗外嘱咐我说被遣返回农场以后要尽快安置妥当,准备来农场跟我一起过"劳动人民的生活",她说她自小生长在水乡所以喜欢养鸭

74

子,如果可能的话再养一只猫。她非常天真地以为农场是世外桃源。我当然不去扫她老人家的兴,告诉她那里既有活老虎也有死老虎并且更多的是打虎的英雄。

后来我才知道我所以被关了五天是派出所等我母亲筹钱买火车票。所以我不同意说"文革"给国家造成了多大损失,损失其实都分摊到老百姓头上,譬如关押人要家属送饭,遣送人要家属买票,枪毙人要家属付子弹费等等,国家举办这次"革命"付出的成本还不如举办一次运动会多。当母亲凑到二十一元八角人民币在一天下午交到派出所,派出所第二天凌晨就派了四个臂膀上佩红袖章的革命小将押送我去著名的北京火车站。那会儿大街上只有扫街的清洁工,路过我母亲住的房屋后窗我看见灯还没有亮。我在穿军服扎武装带佩红袖章的革命小将们的押解下悄然走过,我想让她老人家多睡一会儿,谁知这就是我与她的最后一别,她要到送饭时才会发现我已被遣返走了。然后她又回到这间房里,去想象将来养什么样的鸭子及什么样的猫。

啊!那寂寞的后窗……

　　接下来，那个女人就要出场了。在她出场前后，我的
"青春期"连续发作了两次。

　　且说两男两女革命小将把我押到北京火车站时天刚
蒙蒙亮，一男一女拿着捞什子证明进票房一会儿就办好了
车票。四人又不辞劳苦地要亲自押我上火车。我们走进地
道的时候还没有一个旅客，灯光通明的地道里空荡荡地弥
漫着一种不祥的阴森。我走在前，小将们走在我后面。到了
半途我听见四个小将嘀嘀咕咕不知商量些什么，随着响起
叮叮当当解武装带的声音。我以为几个小家伙中间有谁要
在这无人的地道上恶作剧地撒泡尿。那时见人有什么异样
的动作我总与人要大小便联系起来，可能是因为看人大小
便看得太多的缘故。谁知还没等明白过来后腿就遭到皮带
猛烈的抽打，疼得我趔趄了一下腿肚子马上一片麻木。

　　遭到突然袭击我的"青春期"突然暴发，我急速掉转身
去敏捷得像头豹子。这时一个小将正把皮带举在半空两个

小将在跃跃欲试一个还手脚不麻利地解着皮带。等那举在半空的皮带快抽到我头上，我一把将皮带抓过来顺手一拧，皮带一眨眼就到了我手上。我冷笑着说：

"伙计，要讲打，你们四个绑在一起我用一只手就能把你们都打翻！你们信不信？你们知道我是谁？我是个反革命，专反你们这些革命的！不信，咱们就在这里试试看。"

小将们见我手里也有了皮带并且运用得比他们还要熟练，四人异口同声地要赖：

"谁打你啦谁打你啦！你'丫挺'的！你看见谁打你啦你看见谁打你啦！你'丫挺'脑袋后面长了眼睛啦你'丫挺'脑袋后面有眼睛？你'丫挺'好好走你的不许乱说乱动！'丫挺'要好好走甭乱看！"

革命培养出这样的后代实在让我伤心，连强词夺理都软弱无力，皮带被人抢走了也没勇气夺回来。又要我走又不许我动，"丫挺"一词作何解释我也莫名其妙。这四个小将最大的不超过十八岁最小一个顶多有十四岁。一个小姑娘还长得很清秀，胡乱地扎着两条羊角小辫更显得稚气可爱。见我盯她她马上将目光躲开，小嘴噘噘地好像要说些辩解的话。看她的面子我也就算了，不看她的面子我也只能算了。我说：

"我好好走我的，你们也好好走你们的。这样大家都好，谁也不伤谁。你们知道我为什么被打成反革命？就因为我一个人打伤了像这们这样大的八个娃娃。今天我急着上火车,不想再把人打伤了。走吧!"

四个革命小将垂头丧气地跟我走出地道口,一边走一边仍暗中嘀嘀咕咕个不休。到了有人的站台我随手将皮带还给那个抽我的小将,好像什么事情都没发生一样。这时闸门打开了,旅客们如同大难临头拼命逃窜似的向各个车厢涌挤。我是第一个到的当然有座位让我挑选,我就找了个靠窗口的座位坐下。奇怪的是小将们仍不走,在我背后的座位四散地坐着,好像他们也准备长途旅行。等车厢里坐着站着挤满了人还有人爬到行李架上躺着的时候,四个小将忽然凑在一起喊了声"开始!"接着,那个清秀的小姑娘英姿飒爽地站起来一脚蹬上她的座位,高高地挥舞着"红宝书"清脆地喊道:

"旅客同志们旅客同志们,大家注意了大家注意了!我们现在学习一段毛主席语录:'凡是反动的东西,你不打他就不倒,这也和扫地一样,扫帚不到灰尘照例不会自己跑掉';'革命不是请客吃饭,不是做文章,不是绘画绣花,不能那样雅致,那样从容不迫、文质彬彬,不能那样温良恭俭让,革命是暴动,是一个阶级推翻一个阶级的暴烈的行动'。你们看见这个坏家伙没有?"

她居高临下地在我背后用一根稚嫩的手指在我头上狠狠地戳了几下:"你们大家看看这个坏蛋的丑恶嘴脸,这坏蛋是个地地道道的反革命！恶毒凶狠得很！他一个人就打死了八个无辜的革命群众！前些日子他偷偷流窜到伟大首都来企图破坏我们伟大的无产阶级文化大革命，幸好及时被革命群众抓住了，使他的阴谋没有得逞。今天我们大家要押他回他来的地方叫他去受应有的惩罚。革命群众必须提高警惕，人人都有监督批判他的革命权力！大家要擦亮眼睛，严防他在列车上又拉拢群众，阴谋破坏我们无产阶级文化大革命的正常秩序。大家听清了没有？"

看不出这个面目清秀的小姑娘还真伶牙利齿并且会编故事。这样的话她连说了几遍，特别把语气的重点放在我打死了八个人上面。开始念毛主席语录的时候车厢里乱哄哄没有几个人注意，但听见我一个人打死了八个人全车厢二百多人突然鸦雀无声，都将惊讶的目光盯着我，远处的人还学她的样子踩上座位伸出长长的脖子，力图看清我的嘴脸如何丑恶，同时发出一片"呀呀哦哦"的恐慌议论。小姑娘宣布完了，小将们又齐声高呼了几句"将伟大的无产阶级文化大革命进行到底""毛主席万岁"之类的口号便昂首阔步扬长而去。他们留下的空座位立即引起一阵争夺，革命群众又互相对骂。

列车开动后车厢终归于正常，我就成了旅客们旅途中议论的话题。有的说听那些"小崽子"的！他要是打死了八个人早就枪毙了，还由他一个人大摇大摆地坐火车？有的说"小崽子"可都带了红袖章，说的话总有点来头，不会无缘无故冤枉好人，你没见这家伙一个屁都不敢放。有的说最好离他远点，你没看他脸色铁青，没准什么时候他又犯横打人。有的主张告诉列车员，车厢里有这么个打死了八个人的危险家伙对大家都是个祸害。于是人们又纷纷埋怨革命小将，一致认为他们应该通知列车员而不应把看管的责任推给旅客，万一发生问题由谁负责？坐在我旁边的一个妇女悄悄地和她同行的男人换了座位，那男人实在无处可逃只得心惊胆战地用半个屁股挨着我坐，一路上连看也不敢看我。

我又可气又可笑又可悲，没料到"小崽子"们会想出这样的诡计，偷击不成便在大庭广众中糟踏我，叫我对他们无可奈何。难道我能站起来为自己辩解说我是个诗人？诗人同样是危险的坏蛋。难道我能说那些"小崽子"在说谎？小将们可都身穿军装佩戴红袖章，那是一个拥有特殊权力的符号，在政治上占绝对的优势。人们猜测得对，总不会一点原因都没有，我至少是个"劳改释放犯"，不管我怎样辩解都等于放屁。

但我有更多可想的，那就是我的母亲。想起她老人家我也就由人们去说吧，我想这时候她老人家应该知道我已离开了北京。

后来我每到北京就会不由自主地想起"小崽子"，在当时的首都街头有不少这类年轻人，他们无书可读成天在派出所进进出出，经常与"小脚侦缉队"密切配合干些抓人押人的勾当。算来他们现在也有四十多岁了，已成熟为我们社会的主要力量。他们现在是不是也认为"青春无悔"?他们是不是和我一样也觉得那时的阳光比现在灿烂?那个革命年代可能是他们一生中最风光的时候也是他们的"青春期"，那样的"青春期"会给他们终生留下什么影响?他们从小就在"伟大的无产阶级文化大革命"中学会横行霸道、耀武扬威，仗着人多势众用阳谋阴谋对付强者，学会脸不变色心不跳地编造谎言，最大的本事就是用时尚的语言鼓惑人心。到了新时期这些"小崽子"及"小脚侦缉队"突然消声匿迹，难道他们真的就在世界上消失? 他们对中国社会的转型会作何感想。

当然那时我并没有想这么多，只是暗自懊悔这次回北京倒给母亲增添了许多麻烦，遥遥的思念尚是一种安慰，见了面徒然增添伤悲。我决心回农场申请一间土房，将母亲接来养她的鸭子，再去抱一只小猫。既然我能够请探亲假，那个挤眼睛的小"头头"也会帮我实现这个理想吧。

虽然无端地在稠人广座中受了侮辱，让一个小姑娘用手指在头上戳戳捣捣，但从北京返回去不再害怕查车票了。小将们离开车厢时倒没忘记把车票摔在我脸上，让我能够不中断地坐到目的地。可是凌晨我出发时连水也没有喝一口，中午列车员推着小车卖盒饭，我才发现全身连一个钢蹦儿都掏不出来。到了晚饭时间令人垂涎的小车又推来了，我又只好在座位上饥肠辘辘地看旅客进餐。与母亲不辞而别加上被抽打、被侮辱、被猜疑、被监视又加上饥饿，百般折磨反反复复，怎能用"痛苦"一词表达得尽！我想，命运如果是考验我，如此种种考验也应到了极限，生活究竟是要将我铸造成为一个真正的人，还是有意与我开玩笑要把我揉搓成一团废物？我真想和十字架上的耶稣一样仰天哀叫：

"上帝，你为什么要抛弃我？"

我端坐在座位上无法入睡，不眨眼地凝视着窗外。所有的景物都在我眼前飞奔，不知道这世界急急忙忙究竟要去何处。但列车毕竟还有个明确的目的地，我却独个儿前途渺茫甚至毫无前途可言。我感觉有一种外力抽空了自己，生命已离开躯体，只有视觉是整个世界。可是这个世界不知什么时候一下子暗下来，我看见自己丑恶的面孔突然映在车窗上，还有团团黄色的灯光。为了避开我自己的丑恶面目我把目光收回到车厢，才发觉已到了夜晚。

这时我感觉到面前的小桌板下有一个东西有意在轻轻触碰我的膝盖，我才看见一直坐在我对面的少妇有一对大眼睛。那一对眼睛像温柔的湖，强烈地吸引着我要向里纵身一跃，那湖水深处才是我最佳的避难场所和歇息的地方；这对眼睛最大的特点就是不属于这个世界。它与母亲的目光一样却又羼了些忸怩，那份忸怩使我感到她和我之间的平等；她对我的亲切是另一种亲切，她那份关怀是另一种关怀。这种天外来的目光推我为之一震，勿须她作什么暗示我就伸手到桌下去摸那触碰我的东西。原来她在小桌面的遮掩下给我递过来一个塑料纸包的圆面包。

她的眼神鼓励我吃下去。她和母亲不一样，她要全心全意地看着我一口口吃。我吃着，她的睛睛就随着我的吃而越发开朗明亮。在柔和明亮的目光的安抚下，我从来没有吃得这么满意和开心，后来我走遍世界也吃遍世界，但是再没有一次比她的圆面包更令我吃得满意和开心。这样幸福的吃，一个人一生中只能有一次。我吃完后直起腰挺起胸坐得像座钟似的端正，被抽空的生命又返回来并且我的躯体反而更加结实。这时她对我莞尔一笑因此这世界刹那间变得异常美丽，在这样美丽的世界上还是值得活一活的。她的笑屬使我的"青春期"突然爆发，我又一次觉得那股气在我体内涌动并使某个部分膨胀壮大，破天荒地我想要与女人也就是她过"夫妻生活"，不论"夫妻生活"如何乏

十一

　　她在我的目的地前几站下了车，于是我终生记住了一个叫"五原"的地方。列车每到一站车厢里照例是一片慌张忙乱，有人提行李下车有人提行李上车挤来挤去大呼小叫，而那胆怯的男子却镇定若素，在昏暗的车灯下始终不放松对我的监视，见我没有和她一同下车似乎还有点诧异。她一手拎个拉链包一手提个网线袋，磕磕碰碰地好不容易走出座位。到通道时她还回过头匆忙地与我的目光对接了一下，但这世界上唯一的亮光仅仅一闪烁便被后面挤来的人扑灭。从此她随着人流涌入茫茫人海，我再也找不到她的眼睛及同她的眼睛一样的眼睛。

　　虽然在列车上她将男人的活力赋予了我，激发起我想与女人过"夫妻生活"的冲动或说是"发情"，但与真正的女人过了半次"夫妻生活"却是在几年以后。

　　在"一天等于二十年"的政治口号下几年以后形势确

实有了很大变化，农场的群专队早已解散，牛鬼蛇神纷纷出笼又上了台，那时叫做"恢复工作"。如今被管的人又管人管人的人又被管。这种勿须通过投票选举的轮流执政据说是"无产阶级专政下才有的真正民主"。想起来当年要在月经纸上去"找突破口"真毫无必要且非常可笑。"走资派"又当了场长，他也没有借口私自用"国家财产"代替草纸而报复医务室的小李小王。"走资派"没有"斗倒斗臭"却被斗怯斗怕了，经过"锻炼全体干部的文化大革命运动"的锻炼，他决不会再坚持原则主动工作，所以我也原谅他没有专门成立个"劳改释放犯"的小队叫我当队长。有时他回到原先群专队的所在地也就是我劳动的生产队来视察，见了我不过点点头而已，不再夸奖我已经改造好了。当然我还不至于傻到去问他为什么失信，人一当官马上就忘了他过去说的话。

不过凭良心说我的处境毕竟有很大改善。因为革命群众失势后再也不热衷革命，才发现生活上不可缺少的柴米油盐酱醋茶对他们来说大大超过革命的重要性，而那时的社会主义怎么也"为人民服务"不好这"开门七件事"，劳动妇女仍然用印满"为人民服务"的硬梆梆的报纸垫月经带，反正那种政府宣传品取之不尽用之不竭。于是革命群众开始大发牢骚，上工不干活，干活不出力，在田里挂着锹三五成群地"讲怪话"。那些"怪话"的反动性大大超过一九五七年的右派言论，我这个右派分子也就被他们看作是自己人了，革命群众亲昵地称我为"老右"。

本来我是可以申请到一间土房的，然而母亲还没有等到我把自己安置妥当便在偌大的北京孤独地去世。这一段请让我略去，我有权和那些有意回避"文革"的人士一样极力回避会使自己崩溃的历史。他们以为叫大家少谈"文革""文革"就会在民族的记忆中慢慢淡忘，果然，今天的大学生已经不太了解"大跃进"及"文革"真正的历史面貌，大学高中初中往下依次递减，以至于毫无所知，一个后人无法超越的一贯伟大正确的神话，就在患有失忆症的民族中树立了起来。那么，是不是我尽量不谈母亲母亲也会在我的记忆里逐渐消失？为了我的精神免受痛苦，我倒想试一试。

在农场，没有家庭的单身农工过日子比较简单："两个饱一个倒，家里连个油瓶子都没有，扯床被把一家都盖上了，炕上又没个女人等他×，这样的人不叫他干活他还闲得慌。"所以生产队有个不成文的规矩，好像单身汉一定要比拉家带口的工人干得多。凡是遇上加班加点的工作或繁重劳动，队长组长总是叫单身汉去。革命群众虽然在政治上已把我当作普通人，但一致认为我是个特殊的劳动力，过日子又简单劳动又好又没女人等我×并且遵守纪律，叫干什么干什么，使用起来得心应手，这样我就几乎成了大家的工具。和我过了半次"夫妻生活"并给了我很大启发的女人，就是在这种情况下遇到的。

我的生产组长是个复员军人，我从来没有看见他和别人一样扛着铁锹走路，总是把铁锹拖在地上来回跑，让铁锹拍打着地面，他走到那儿那儿就叮叮当当响成一片。春夏秋冬他都不系上衣钮扣，个子又矮又瘦，过大过肥的衣服老是敞着两襟一扇一扇地像长出了一对翅膀，于是他就获得了"麻雀"的外号。"麻雀"既玩世不恭，喜欢用政治语言开玩笑，又对人从不曲里拐弯耍心眼，说话直来直去。一天他对我说他要想法把他老婆从别的组调到他管的这组来跟我一起干活，我问他为什么，他毫不隐讳地说为了好让我多干他老婆少干。我说你他妈的真会沾便宜，他说有便宜不沾白不沾，"当官的有权不用过期作废，我这个小官也要趁有权的时候使唤使唤你这个好劳力。"

不久，"麻雀"真的鼓捣队长把他老婆调到我们这组来了。第一天上工他就当着全组工人宣布他老婆和我结成"一帮一的对子"。"一帮一一对红"、"开展谈心活动好"、"要斗私批修"等等都是那时的流行流言，顺便他还说了句："这样也便于监督这个'老右'嘛！"说完又连忙向我打恭作揖："玩笑玩笑！你老右别放在心上。"

"麻雀"老婆坐在田埂上纳鞋底，一面笑着骂"麻雀"
"婊子养的"一面瞟了我一眼。"麻雀"老婆不超过三十岁，
模样长得很端正眼睛也很大。她瞟我的一闪好像给我猛地
一击，使我想起列车上遇到的她。后来我才知道她也是"五
原"一带的人，出生在乌拉特前旗一个叫"白彦花"的地
方。她还给我说过那个地方出美女，"脸盘鼓鼓的，眉毛弯
弯的，腰杆细细的，肚子平平的，奶子撅撅的，屁股挠挠
的"。她介绍到那个部位便用手揉搓她身上的那个部位，带
动她全身都扭动起来因而使她的介绍非常生动具体。她自
己就完全符合她的介绍，所以她的介绍实际上是一种炫
耀。她介绍时我暗自想列车上的她大约与她的身材相当，
遗憾的是列车上的灯光太暗，若干年后"三围"成了女人身
材的时尚标准，但那固定的机械的数字怎能体现出女人珠
圆玉润的灵动的美丽？从此她的身材便成了我看女人的特
殊规格，后来我在巴黎用这种眼光看所有的模特与她相比
都黯然失色。

可是刚开始的时候她确实是我干活的累赘，譬如小组
集体挖沟开渠，每人按二十公尺分一段，"一对红"是四十
公尺，这四十公尺全靠我一人唶唶唶唶地挖，她只是铲铲
浮土修修渠道而已，多半时间无精打采地挂着锹站着东张
西望，没干两下就急不可耐地问现在啥时候了为啥还不吹

哨收工。中间休息时,却好像刚刚苏醒过来开始活跃了。她爱唱一种叫"二人台"的地方戏,确切地说应该是"哼"而不是"唱",因我从没听她唱过一首完整的曲子,她大概也不记得一首完整的戏词,所以至今我回忆起她只听见那悠扬婉转的哼哼却不知道她究竟哼了些什么。她哼的音调纯朴自然,节奏富有弹性,有很强的跳跃感,带有黄土高原的开阔意境,给人极为悠远而又欢快的感觉,听腻了革命歌曲听她哼哼倒也新鲜而动听。

有一次我说你哼得挺好听,不过到底唱的是什么词你能不能给我说一说,她说啥意思都没有就为了给自己解"心焦'(心烦),唱词是现编的,想到啥就唱啥。我说我在替你干活你在旁边看着你还"心焦",你说我"心焦"不"心焦"?她说你要是"心焦"我就给你唱一个吧。说着她笑嘻嘻地唱道:

"哥哥你好好干

妹妹在旁边看

哥哥要心焦

妹妹给你干

快把锹撂下

咱俩玩一玩

一身白肉肉

随你上下看。"

她随唱随笑，我也跟着笑。我说真把你没办法，你就
"旁边看"好了。她笑着弯下腰，又唱：

"不干白不干

不玩干瞪眼

不玩你就得干

哥哥你哟好可怜!

……"

如果是两人干"零活"，我就干得更多了。"零活"包括
很多农作项目：灌溉、起肥、打畜草、扬场及其它只需一两
人干的零散杂工。我俩一"打零活"，她从不按时到工地，我
几乎干了定额的一半，她才扛着铁锹或拿着镰刀慢腾腾地
走来，到我视线以内就小跑几步，在我跟前就装出气喘嘘
嘘的样子总能说出一套理由，不是要给"麻雀"做饭就是孩
子病了要去医务室。后来经我证实多半也是真的，她大大
小小有三个孩子，难怪"麻雀"要设法减轻她在生产队的劳
动，好让她腾出手干家务活。我也看出来她走到我视线以
内开始小跑其实是对我表示尊重和因来晚了而内心不安，
如果她像一般群众那样摆出高我一等的"革命"派头，来晚

了就来晚了，根本勿须在我面前装模作样，我又能把她怎么样？

有一次她来晚了的理由非常特别，那是在马圈起粪，大清早我已经将马圈的粪起了一半，太阳也升到房顶上，她才扛着铁锹疲惫地拖拖拉拉到工地。我埋怨说，你倒好，活还没干一锹人倒乏了，一早晨你干什么去了？她笑了笑叹道：

"你哪知道！'麻雀'每天早晨要×个起床×，不×不起床。唉……"

这个×分别代表两个词，前面一个是动词后面一个是名词，是劳动人民包括犯人常用的语言，绝对不能登大雅之堂的。我也笑了，学她的口气说他要×你你不会不让他×，是干活重要还是干那件事情重要？她脸上一付无何奈何而又心甘情愿的表情，又叹了口气说：

"唉！有啥办法？给男人当女人男人啥时候想×就得给男人支上让男人×。"

这使我突然理解了"二杆子"的老婆，"二杆子"介绍"她是农村的"实有深意，怪不得"二杆子"要当着一个陌生人的面和她过"夫妻生活"她也只好顺从，乖乖地就往麻袋上一躺，给她男人"支上"。

汉语的语境经过"文化大革命"有了很大的变化，最大的变化就是粗鄙化，所有传统观念中"非礼"的动词名词口语俗话方言及"国骂"都登堂入室，甚至大大方方地成为文学语言与官方语言，如"放屁""狗屎堆"等等，所以怎能怪一般老百姓的口语越来越直言不讳，越来越不堪入耳。我想，这大概就是孔夫子说的"礼崩乐坏"的局面吧。我与她在马圈的对话还算是"文明"的，并没有公开详细深入探讨×的全过程。那时在农村农场工厂，干活的时候，除了柴米油盐酱醋茶，性也是劳动人民主要的话题，拉家带口的农工聊起来无不绘声绘色，常常还伴有动作表演，让如我这样的单身汉垂涎欲滴想入非非。

　　平时她来晚了还可原谅，孩子病了当然应该去找医生，一家五口人吃早饭也够她忙的，可是今天我一个人大清早在马圈埋头苦干是因为"麻雀"睡在炕上要练他的早操，不由得我有一肚子牢骚，于是就骂"麻雀"混蛋王八旦，说他跟马圈里栓的牲口差不了多少。她挂着锹靠在马圈的柱子上，张开轮廓秀媚的嘴唇打了个大大的哈欠，一面揉眼睛一面就像说日常的柴米油盐一样平淡地为"麻雀"辩解：

　　"也不能完全赖'麻雀'要×我嘛，我一大早也骚得想要'麻雀'×，有时候还是我鼓着他来×呀！"

　　我听了笑得差点倒在马粪堆上。我说"我服了你了！"她放下揉眼睛的手诧异地问"你服我啥?"我说我服了你惊人的坦率。她把"坦率"当作大批判中常用的"坦白"，笑着说：

"'坦白从宽'嘛,抗拒才'从严'哩。我跟你坦白为啥来晚了你也应该'从宽'了嘛。再说,你多干点也不吃亏,你闲着也是闲着,要不你干啥去?要不你也找个女人来×?"

我与她的对话全部是诸如此类的话。她善于把什么事都与性事联想到一起，譬如我们干的活儿需要我爬高的，她在下面仰着头会这样警告我："小心掉下来把你的球摔断。""球"指的是男性生殖器，或是："小心你屁股摔成八半!"好像我受伤的部位总是身体的下半部分。如果铁锹把或镰刀把没有修刨光滑，用起来不顺手，她会埋怨说："还不如捏着一个球舒服!"或是："细得跟个球一样!"我俩放水浇灌小麦，泥沙淤积在渠口里致使水流不畅，她会说渠口"小得跟×洞一样""水流得跟尿尿一样"。今天我写到这里，眼前又出现了她在田硬上飞跑的身影。一次我和她两人灌麦田水，一截田埂被水冲了个缺口，我一人堵不住，不得不着急地扯开嗓子连声喊她来帮忙。她在远处向我跑来，胸前两个如她所说的"撅撅的"乳房在破烂的纱线背心中颤动得如同两大坨圆圆的果冻，我一时竟忘了堵缺口，手拿铁锹站在激流中呆呆地望着她甩动的前胸。到了近处她发现了我傻瓜般的神态，便故意连跑带跳让乳房颤动得更强烈更欢畅，还随乳房的颤动有节奏地笑着大声喊叫：

"噔噔噔！噔噔噔！……"好像乳房的颤动会发响，又像给飞旋的乳房伴奏的节拍。我俩堵缺口时我向她胸部瞥了一眼，发现她乳房间的壕比"二杆子"老婆的壕还深，乳房随着她铁锹的挥动不住地抖动，弹性十足。突然间，她既让我心慌意乱，又使我产生一股想用一根或两根手指顺着那道壕向下插进去的强烈冲动。我俩好不容易堵住了缺口，她还偏过头笑着问我：

"有意思啵？"

"有意思啵？"是她说"骚话"（这是她常用的方言）或表演她的肢体动作后总要向我补充的发问。当然我会连声回答"有意思有意思！真有意思！"我的确逐渐觉得和她在一起干活"有意思"，非常"有意思"！即使跟她一起干活会加重我的负担，加大我体力的支出我也心甘情愿了。这样便无形中调动起我劳动更加积极，每次都能完成甚至超额完成任务，于是我俩经常受到组长"麻雀"与生产队长的表扬。"麻雀"一次还装模作样地在"小组毛泽东思想讲用会"上说我俩"一帮——对红"真正使两人都有了进步，两个人都"红"了，这是组长即他自己"落实了伟大领袖最新指示的结果"。

倘若遇到难得的休假日，我一天见不到她反而感到寂寞难耐，有时还躺在炕上猜想她现在在家正干些什么。第二天上工，她一定会详细地告诉我前一天她所做的家务事：洗衣烧饭合煤饼带孩子缝缝补补等等。她与别的女人不同，从不抱怨生活的艰难和供应的短缺，却会尽可能地寻找生活资料的替代品。一次，她利用休假日将日本进口的尿素口袋拆开来当布料，缝制成小汗衫及裙子般的半长裤穿来上工，满身散发着尿似的骚味，我笑着讽刺她说你说你"骚"，今天当真"骚"了，就跟刚从厕所里跑出来一样。她咯咯地笑了起来，两手拎着半长裤的两边在我面前得意地旋转，而且极为自然地蹺起脚尖。那时中国还没有T形台更没有时装模特，她可能就是中国时装模特的先躯了。

几年以后我在一份杂志上看到有文章介绍说，那种专用作包装材料的化纤纺织品对皮肤极为有害，会使人患上皮癌，但她穿着薄薄的尿素袋缝的衣裤却更加飘逸，更加突显了她的身材，至少在我俩分开时她丝毫没有患皮癌的症状。那时我还不知道怎样形容她的身材，进入八十年代我才知道应该用"肉感"和"性感"之类的词。与此同时，那种裙子般的半长女裤竟被称为"裙裤"，开始在西欧成为时装并立即流行到中国，让我处处都能看到她因而常令我心酸。

不过，那时她穿着日本肥袋做的半长裤在我眼中却非常滑稽，"日本"两个字正好缝在她屁股蛋上，一边是"日"，一边是"本"，但她连"日本"两个字都不认识，显然不是有意的。她做时装表演的时候我发现了"日本"而大笑她却以为我笑的是她屁股，便停下来弯下腰把屁股朝我面前一撅，笑道：

"你看你看你看！让你把女人的屁股蛋看个够！"。

于是"日本"在我眼前更大大地膨胀起来。

平时，聊完了家务事，她决不会忘记叙述她怎样和"麻雀"过"夫妻生活"。当然她不会像农业大学毕业的"二杆子"那样用文明的词汇，而是直接了当地用一个动词加一个名词来表达。她说她有时也觉得"心焦"，"'麻雀'瘦得跟铁锹一样，硌得我骨头疼。""麻雀"又爱喝酒，喝那种用白薯干酿成的劣质强度酒，她皱着眉头形容："嘴巴臭得跟大粪坑一样！"我觉得这似乎就是她最大的"心焦"了，除此之外她永远快乐。譬如我俩割畜草或者割麦子的时候，蚊子牛虻马虻满天飞，朝人们劈头盖脸地扑来，连耳朵里眼睛里鼻孔里嘴巴里都会钻进蚊子蠓虫还有一种叫"小咬"的飞虫，叮得人满脸是包，全身红仲，这是我最害怕最"心焦"的事了，恨不得旁边有条水渠让我跳进去把全身淹没在水里。而她却好像毫不在乎，一面像扑蝴蝶一般扑打一面还笑嘻嘻地喊：

"蚊子喜欢我，苍蝇喜欢我，老鼠喜欢我，麻雀也喜欢我!……"

在她眼里世界上好像没有不喜欢她的人与动物，似乎她也喜欢世界上所有的人与动物，她是我所见过的唯一活得潇洒的人。又譬如，她刚刚叙述了"夫妻生活"，还没把喜欢她的"麻雀"骂够，便会立即欢快地扭起秧歌。一瞬间她能变化出七十二种表情。

她不止爱哼"二人台"并且爱扭秧歌，每次要扭得上气不接下气瘫倒在地才肯罢休。我想，"尽情"这个词大概就是专为她而创造出来的。她的舞台是田硬、渠坝、割了麦子的麦田、割了牧草的荒地甚至在马圈、羊圈、猪圈、厕所旁边。总之，只要是我俩"打零工"的时候她一高兴便会扭起来。我汗流浃背地干着活，她在一旁扭秧歌，秧歌扭倒在地上还要喘着哈哧哈哧地笑着问我：

"有意思哦!"

她扭的秧歌我从来没有在别处见过，尽管我不是内行但也看出她的舞姿绝对不符合规范，像一具全身各处的关节都是用线连接起来的木偶被耍木偶的人举着摇晃一般，如果换另一个人来扭肯定是丑态百出，而她扭起来却显得活泼可爱，天真烂漫，脸上还带着调皮的笑容，同时嘴里发出"噔不仑噔呛! 噔不仑噔呛! 噔不仑噔呛! 噔不仑噔呛呛呛……"的乐器伴奏。她曾洋洋得意地说她不需要别人来用乐器为她伴奏，自称"我自己就自带狗皮弦子"。我至今也不知道是真有一种民间乐器叫"狗皮弦子"，还是她自贬的一句玩笑。她其实非常擅长表演，一会儿拣根树枝当旱烟杆衔在嘴上装扮成老头扭，一会儿撮起嘴唇驼起背装成老太婆扭，一会儿挺起"撅撅"的胸脯变成雄赳赳气昂昂的小伙子扭，变化多端，花样百出，她的"自带狗皮弦子"始终不停地"噔不仑噔呛！"

虽然我觉得"有意思"，但也常常笑骂她有扭秧歌的力气还不如多干些活。当然她决不会听从我的，仍旧照扭不误。

十年后我去著名的巴黎歌剧院观看轰动巴黎的后现代派芭蕾舞《天鹅湖》，才发现原来她就是西方后现代派舞蹈的鼻祖：全部动作都是反舞蹈传统的，在舞台上不应该怎么跳便怎么跳，举手投足完全随演员此时此刻瞬间的兴之所致，肢体动作纯粹出于天然，这种舞蹈的审美价值大约只有真正后现代人或真正原始人才能体会得到。

看完后现代派的《天鹅湖》，我没有招出租车也不去乘地铁，一直徒步走到蒙玛特高地，这里是巴黎公社社员战斗的最后地点。我在著名的"白教堂"前面的台阶上坐下，整个蒙玛特已空寂无人，连咖啡店也打烊了。白天艺术家们聚集在此作画，夜晚纷纷溶入沉沉的黑暗。我突然感到无边的寂寞。"有意思啵？""是的，真有意思！"仰望巴黎的星空，淡淡的丝丝缕缕的云正向东方飘浮。"意思"在哪里呢?一切的一切忽然变得丝毫没有"意思"。巴黎躺在我脚下平淡如水,唯有月光中的她浮出水面……

"有意思! 真的非常有意思!"她也是来自另外一个星球的,完全不属于这个权欲横流物欲横流的世界。她丝毫没有受到"社会化""革命化"的污染,从不说流行的政治语言,相反,她用她自然纯朴粗犷原始的风貌使所有"革命化"的意识形态及所谓的文明倾刻间土崩瓦解。她像是直接从半坡村或更早的山顶洞中跑下来的人的始祖,让现代人认识到"人"的原型。她会使人感受到什么是真诚,什么是人的天性。一次,她带了一些炒熟的黄豆到田间来我俩一齐吃,虽然她从不刷牙牙龄却洁白坚实,那口利牙把黄豆嚼得咯嘣咯嘣乱响,浓郁的黄豆香味从她嘴里不断向田野扩散。她见我嚼得很难便自告奋勇说我替你嚼。但嚼好了怎样递到我嘴里倒成了难题。她伸出她的舌头"呜呜"地要我去接,舌尖上有她用舌头裹成的一团黄豆泥。我笑着不知所措,而她却一把便将她舌尖上的黄豆泥捋在手掌上往我嘴巴里塞,我也只好却之不恭地咽到肚里。

十二

小麦很快就成熟了，小麦很快就收割了，麦捆很快就搬运到麦场上，小麦很快就被脱粒，金黄的麦粒在谷场上等待着人们将它扬出来装包运走。扬场是手工农业劳作中需要有一定技巧的农活，我已经被改造成农业劳动的多面手，这种高技术的手工农活当然离不了我，于是我和她就被派到场上去扬场。麦场上堆放着一堆堆麦粒与麦秸、秕子、杂草等等的混合物，我要拿木铣一铣铣把它们扬向空中，让自然风把它们分离开去。重的麦粒落在近处，较轻的麦秸秕子杂草等等就随风飞散飘远了。她拿着竹子捆扎的扫帚"扫堆"，"扫堆"就是将风没有吹走落在麦粒堆上的细麦秸、秕麦子、杂草等等拂扫掉。我必须交待清楚这种即将进入历史博物馆的北方手工农业劳动，不然现代读者便很难理解下面发生的故事。

我想读者通过我的交待大概知道了扬场最需要的是

自然风。没有风，有多大的本事也没办法把麦子与杂草秕子等等分离出来。风来的时候扬场的人必须"抢风"，拿出全身力气拼着命干，没风时就站着坐着休息聊天，队长组长看到也不管。一天下午，天气闷热，广袤的田野上一丝风都没有，杨树柳树槐树白杨树连茅草芨芨草狗尾巴草全部一动不动，树叶草尖齐齐地指向天空，天空也没有云，天地之间凝结成静止的雕塑。我俩只好守在麦堆旁你看着我我看着你被太阳烤，因为天气酷热，她也不再扭秧歌了，慵懒地躺在麦堆上，我拄着木锨像士兵站岗一般，等候风一来便动手"抢风"。因为闲得无聊，我注意看了看她的脖子，她没有什么"三角区"更不是白色。她的脖子直到肩膀都裸露在烂线背心外面令人一览无余。从头部到脖项再到肩膀的各处曲线都是一段段自然生成的弧形，像谷穗的下垂，像大葱的根茎之间或葫芦的腰，又像瓜藤在地面自由地左左右右延伸，从下额到女性无喉结的颈部呈一条抛物线，没有一处给人尖利感觉的锐角。她褐色的皮肤紧密而有光泽，冒出的细汗像太阳洒在她身上的雨。于是我忽然发现她真正可以作为"自然人"尤其是女人的标本。

就因为我在那时曾经看过真正的女人，所以后来在灯红酒绿中遇到许许多多浓妆艳沫的女人再没有一个能使我动心。

闲待了一会儿，她忽然坐起来张口问我：

"老右,你是不是真的没结过婚?"

因为前一段时间我经常作为死老虎"陪斗",陪那些活老虎站在台上受革命群众批判,被斗之前每个牛鬼蛇神都要自报家门,那是"批斗会"上一个必不可少的节目,所以"老虎"不论死活都没有隐私可言,我的履历全农场人几乎都能背得下来。我说我怎敢对革命群众撒谎,我就是没结过婚,这还有什么真假?她又问那么你想不想女人?我思忖着回答有时也想,那多半是吃不饱的时候。她说你说的是假话,男人吃饱了球才会硬,没吃饱咋会还想女人?我说没吃饱就想有个女人给我做饭,跟你的"麻雀"一样,那有什么好奇怪的? 她想了想觉得我说的话也对,点了点头又说我可怜。她经常说我可怜,还把可怜的我编进她的"二人台",而我却不知道我在她眼里哪一点显得可怜,我自以为比拉家带口的"麻雀"日子还好过一些。她又问,不过,没结婚不一定没碰过女人,你给我说实话,你碰过女人没有?我断然地说没有,从没碰过! 她调皮地笑了起来,停了一会儿,她在扫帚上撷了根竹节在地上画,画好了自己笑嘻嘻地又端详了端详,随后招手叫我过去看。

我左看右看看不出是什么名堂,既像是一只熟透了的桃子,又像是一只闭着的眼睛,更像中间有个 1 字的一对括弧,难道她懂得某种神秘的符号?那是不可能的!这时麦场边正有只牛在偷吃麦子,我笑着打趣地回答说:"是只瞎牛眼睛吧！"她听了陡地笑得乳房抖动个不停，全身像扭起了秧歌，最后笑瘫在麦堆上，眼泪居然也笑了出来。我也陪着她笑，但不知究竟有什么可笑。可是到我老年越来越体会到"青春期"的可贵时，我方才认识到那就是我平生收到的第一封情书。她的情书比世界上自古到今人类书写的所有情书都直接了当，并且比任何情书都出奇地深刻，让收信人会刻骨铭心地牢记到死为止。

她稍稍收住笑后又坐了起来，仿佛很严肃伤感地连连摇头，还不住地叹息道："可怜可怜！老右你这个哥哥好可怜！"这里我又须诠释一下，她这个"哥哥"是方言词，除了在"二人台"中有感情色彩，用在其它地方就与"同志""先生""师傅"一般是当地女人对男人的统称。队长有时跑到工地来大发威风，她会说"这哥哥疯了！"向别人借东西，她会这样问："哥哥你有没有火柴？"有人割麦子割破了手，她会喊"哥哥哟你小心着点！"跟我干活的时候更是"哥哥"长"哥哥"短，所以我并没有因她叫我"哥哥"而想入非非。但我还是不明白不认识她画的符号就有什么可怜之处。因为看过"二杆子"表演的"夫妻生活"从而使我对性毫无兴趣，更因为我自少年时就断绝了"意淫"，我又怎能想到那个奇异的符号代表的是女性生殖器？何况那时候叫我苦思冥想却又想不通的事情也太多太多。

等她笑够了，她手打凉蓬在眼睛上遮着阳光，仰起头望着我半认真半调侃地问：

"老右，你想不想×女人？"

我说："那有什么好×的？又费劲又危险，吭唷吭唷地一眨眼就完了，还不如躺在炕上看一会儿书。再说，哪有现成的一个女人等着我去玩？"

她声调忽然有点变化，甚至有点沙哑，与往日的顽皮嬉笑不同，她用一种少有的温存语气对我说："老右，你要想×女人一下，我舍了我的身子给你玩一玩。好不好？"

我仍然以为她在开玩笑，说："谢谢你吧，你有这份好心，我还没有这份大胆，让'麻雀'知道了，那可真是不好玩了！"

她又嘻嘻一笑，却有些腼腆地说："没关系，'麻雀'明天要到城里拉化肥，晚上不回来，你明晚上偷偷到我家来，我把门给你留下。嗯？啊？"

她见我没有吭声又连续"嗯？啊？"了几次，一次比一次声音低，她的"嗯啊"是希望得到我明确的答复。我从来没有见过她如此害羞的表情，她一贯是奔放坦荡没有什么不敢说的，看来她这次的邀请完全出于真诚。我又像上次看她乳房那样呆呆地盯着她，她抱着膝盖坐在麦堆上的肢体被阳光照得通明透亮，使我直到如今才突然发现她方方面面里里外外都与我不同，与这个可恶的世界不同。她是另一个与此全然不同的世界在向我呼唤，是我常常做的进入另外一个世界的梦想。她略向上扬起的头到她下面高耸的乳房再到下面平坦的小腹，再后面却又突出了一个圆弧形的臀部，阳光在这条自然的曲线上如此灿烂！她并不是一个简单的死的标本，她新鲜得令人无法抗拒地要去触摸，而且她还正召唤我去触摸，刹时间我竟意乱情迷，摇摇欲坠，像被阳光和热情所熔化，陡地失去了自我；我不知道自己身在何时何处，只感到咽干口渴焦躁不安，猛地又产生出非要砍人手指或与女人性交一场不可的冲动。她好像是炎炎烈日下的一块冰，只有搂着我才能凉爽熨贴安宁。扑上去，扑上去！这个声音在我心里嘶喊，一定要扑上去将她全身抚摸个遍也看个够。

可是这时突然来了一阵风。

这一晚我破例地失眠了。身下是冷而湿的炕，我隔着一条薄薄的被单摸索到了土坯炕面的粗糙，多少年来我一直跟印度的苦行僧睡在钉床上一样睡在这扎手的土坯炕面上，日久天长已成了习惯，然而今夕何夕，泥土的冷峻却从地底冉冉升起，我的肉体第一次感到需要另一个肉体的温暖。这样，我跟她一起劳动几个月的情景就一幕幕地在我脑海中重现。我发觉我为什么会觉得她"有意思""非常有意思"，为什么一天不见她就寂寞难耐，完全出自我已经对她产生了"某种"情感。可是这种感情是不是"爱情"呢？我在我所读过的所有文学作品中都没有见过，因而使我不能把握；这样的女人难道算可爱的女人？因为书中从来没有描写过这样的女性也使我难以确定。我一一检点我头脑中的妇女形象，不是十九世纪的淑女佳人便是二十世纪的巾帼英豪，要么扭捏作态要么气壮云天，最令我心醉的是俄罗斯沙皇时代"十二月党人"的妻子，对一个政治犯来说，有那样的女人陪伴在身旁即使流放到天涯海角又有何妨？可是她们一个个是那样温文尔雅，绝不会公开谈论"夫妻生活"，连私下也不会谈论，更不会把"夫妻生活"称作"××"。

文字使我退化，书本使我软弱。吟诗作赋必须的"推敲"衍变到我对什么事情都要反复推敲，于是我想什么问题都不会彻底，做什么事情都不会成功。但生理上毕竟有一种难忍的冲动，既然我已发现了另一个世界所以我决定无论如何也要去游历一次。可是因为我第一次失眠，才发觉周围还睡了好几个单身汉，他们的鼾声正震天动地，这又提醒了我现在是什么身份：我不得不考虑这是不是一个圈套？是不是一个调侃？是不是众人因为无聊而让她出面耍的一个恶作剧？还有，如果被人发现了呢？……稍一大意都会把我再次送去劳改：人们眼里的死老虎忽然变成了活老虎，随后人们当然会又一次把我打成真正的死老虎，这就成了这个可恶的世界给我开的最大也是最后的一个玩笑。

第二天一清早就开始刮五级风，这样的风最适合扬场。队长把全队所有略懂扬场的劳动力都抽调来了，天作怪的是风还持续不断，大家一齐"抢风"，连稍事休息的时间也没有。我们全班人马干得昏天黑地，头上的汗水都来不及擦，但我俩在偶尔的一瞥中都感觉到双方正在积蓄力量。反常的是今天我一看她便有性欲望，下腹部位好像有一股带血的气在发胀，在滚动，在向外喷，我这时才体会到牲口"发情"是什么感受。这天她看我的眼神也与往常大为不同，往常她说"骚话"时都带有笑意，为的是给这无味的世界增添一些味道。平时她无论是谈性也好扭秧歌也好摇摆肢体也好，绝对没有一点挑逗的意味。她天生是个快乐的人，因为不会用别的方式快乐只得在自己身上寻找快乐，而一个人的身上只有性与肢体属于自己，其它全部"社会化"了，如果她像那些淑女佳人一样受过高等教育，她也会以琴棋书画来自娱自乐或取悦于人；既然她会自编自唱"二人台"，谁敢说她不会成为民间艺术家或民间歌唱家？而今天她的眼神却反而像淑女的眼神，更像是女艺术家或女歌唱家，性的要求及性的欲望都隐藏到瞳孔后面去了，在外表上只透露出期待、渴望、幽怨、婉转与忧伤。何止是七十二种表情,女人啊,你叫我怎能理解你!

到黄昏时分,一辆拖拉机咚咚咚地辗过麦场边上的大路,朝进城的方向开去。拖拉机后面还拉着拖斗,上面站着好几个农工。"麻雀"果然威风凛凛地扶着拖车围栏,敞开两片衣襟飞呀飞地往城里飞去。当"麻雀"几乎是从我们旁边擦身而过,这一刻她和我都不自觉地交换了一下目光。她的目光有力地中止了我的犹豫,最终把我钉在她的身上。

决定了以后我就急不可耐地等待夜晚,既然小时候就敢从三层楼往下跳敢砍猪头敢砍人手指就说明我天生有一付冒险的性格。当我发现她是个女人后,为她冒险也心甘情愿了。天一黑下来我就变成罗密欧,命中注定非要到阳台下去见茱丽叶。跟单身汉们躺在炕上假寐的时候我精心地策划了一番,设想遇到昨晚考虑到的情况万一出现我该怎么办。这样办、那样办、这样办、那样办……想着想着就想到过"夫妻生活"不但费事还要费尽心机,这种事究竟值得不值得去做? 于是我暗中警告自己止此一回,仿佛今晚的举动纯粹是为她而去。我不能辜负她期待的渴望的目光,使她高兴似乎成了我义不容辞的责任。

待同宿舍的农工都睡熟了,又如往常那样鼾声四起,我装着要去厕所悄悄爬起来走了出去。好亮好亮的月光!

这样的月夜适宜做任何事就是不适宜去偷情。谁知这使得我今后的大半生都不断地追求月亮；月亮从此成了我灵感的泉源。第一次踏上美洲大陆正碰上那样的月亮，我不禁又热泪盈眶。一向自以为是的美国朋友以为我因到了美国才如此激动，我说：狗屁！不是，是你们的月亮叫我想起了一个中国女人，仅此一点就证明世界上的月亮都一样。中国的月亮美国的月亮及无处不在的月亮，触发了我写《习惯死亡》。

就在那样的月亮下我走到她家的门口，她家邻近厕所这时显出更有一层方便，倘若有人看见了我我可以装着去撒尿。但四周中连条狗也没有而且鸡也不叫，整个生产队死寂得像空无一人。月亮虽不是个适合偷情的月亮，夜晚倒是一个适合偷情的夜晚。我敲她家门的时候并没人发现却发出吓了我一跳的响声。她马上在门里低声叫我"进来"。我一推门，门立即随手而开，她当真如她说的那样把门早就给我"留着"了。

我进屋后她嘘嘘地催促我说门后有把铁锹赶快把门顶上。我知道农场所有的人家都用铁锹当顶门杠于是顺手一摸很熟练地就照她的指示将门顶了个牢靠。这仅是瞬间发生的事，想不到我就这样轻易地站在了她的面前。第一步非常顺利但下一步怎办我却茫然不知，土房虽然不大我也不知道她在什么地方，只好呆呆地立在门口。这时炕上传来她耳语般的笑骂声，骂我是不是要向"世人"宣布我到了她家？"世人"是她的方言，意思是"世界上所有的人"。原来她是埋怨我不该敲门，"咚咚咚地乱捶，捶得隔壁人家都听见了！"今天却真的应验了她那时的话，这部小说远远比敲门的声音要响亮。而那时我结结巴巴地辩解说敲门是个礼貌嘛，哪有不敲门就直接推门闯进人家的道理？她又低声嘻嘻地笑了起来：

"说啥'礼貌'，要讲'礼貌'你就不应该来。滚得远远的去吧！你跑来干啥？你跑来×人家老婆来了！你这瓜子来×人家老婆还讲'礼貌'不'礼貌'！"

接着又骂了我几声"瓜子瓜子！"她骂得我也笑了但心里羞愧得无地自容，她虽然没有学过哲学却比一般哲学家还擅于一针见血地揭示出事情的实质，也由此教会了我怎样一针见血地看透虚伪并且教导我永远要一针见血地讲话。

因她的骂，我才发现她已睡在炕上，与她并同睡的还有她三个孩子。那张大炕占去半间土房的面积，她靠一边墙，孩子靠另一边墙，中间空出足够睡两个人的地方。孩子一溜儿整整齐齐地头朝外，让人分辨不出哪个大哪个小。

我还站在门口手足无所措。她笑够了也骂够了便连连柔声地唤我"来呀来呀"。我向炕边移步过去，她从被窝里伸出赤裸的手臂拉住我的手，另一只手掌软软地拍拍炕叫我坐下。我忐忑不安地照她的话用屁股尖沾在炕沿上。这时我感觉到了她手指的抚慰，她的抚慰紧迫得力度极大。她一根手指一根手指地捋我的手指，然后她的手指与我的手指交合扭结在一起，一握一握同时又一撇一撇地使我的手指骨节都觉得疼痛。她灼热的手掌渐渐地让我感受到从未有过的温暖，暖意从手掌传遍全身并渗透进每一个毛孔，使我的眼睛也湿润了。可是我似乎总听见"麻雀"的铁锹在门外叮叮当当地响成一片，于是我的心又像被泡在冰水中似的颤抖起来。那是真正从心底里抖出来的，抖得前胸的肌肉也开始痉挛，最后连我的牙齿也打战了。剧烈的战抖迅速发展到手指上让她感觉到了，于是她一把掀开被子叫我赶快赶快进来暖一暖暖一暖。

她将被子掀得很彻底，我猛地看见白晃晃的一丝不挂的她直挺挺地全部展露在我眼前。她像是从月亮中下来的，是月光的一部分，是月光沉淀出的结晶，月亮在她身上闪闪发光。为了一这刻，我才认识到不管冒多大的危险也值得。

后来我曾在多瑙河上密西西比河上塞纳河上泰晤士河上及我国长江三峡中泛舟，也曾多次乘船出海，每一次我都能感受到她剧烈的波浪，所以我乘船时总默默无言却又心潮澎湃。那一刻,我确实与乘船相仿,她整个身躯上下起伏得强烈而有节奏,进退有如江涛海潮。她又像我婴儿时睡的摇篮,将我整个包裹着摇呀摇。她的摇晃令我昏眩也果真把我摇到另一个世界,那是个超凡脱俗的世界。由此使我领略了什么叫"欲死欲仙"。在那个燃烧着的世界中我和她都全身滚烫。这样滚烫的拥抱人的一生中也只能有一次,绝对不可能再有一次,否则人就会被燃烧殆尽。我三十九岁初识女人才认识到女人是如此可爱,世界如果没有女人便不成其为世界;如果我在摇篮中发现这个世界没有女人我一定在摇篮中就自我窒息而死。

　　我贪婪地将她曾给我介绍过的"鼓鼓的、弯弯的、细细的、平平的、撅撅的、挠挠的"所有部位都抚摸个遍。当手上的感觉成为记忆之后,手便是我身上最宝贵的肢体。我死后愿意将全身都捐献给器官移植唯独要保住我这两只手,我要留下遗言嘱咐医生把它们浸泡在福尔马林中,作为这个世界毕竟是美丽的证明。我抚摸她的时候她也像"二杆子"老婆那样不住地哼哼,我才知道那不是什么铁制轭具弄疼了她而是女人感到舒畅。我当然也有从未有过的舒畅体验,这种体验激发了我全部的"青春期",三十九年积累下青春的欲望此刻爆发出成为一团乱麻般的疯狂。她也同样地疯狂但一会儿她忽然在我身下大叫了一声便风平浪静,像穿过惊涛骇浪的船终于停泊到港湾。我从她的波峰陡然跌落到她的波谷，一下子在她身上塌了下去，坠落到一个无底的深渊在空中飘浮。

可是她的叫声却惊动了她最小的一个孩子，孩子懵懵地翻身时她还不忘以她特有的方式表现她的快乐，她低声笑着用嘟嘟囔囔的语音这样安抚孩子：

"好好睡好好睡，你叔叔在×你妈呢!"

我听了这"有意思"的话忍不住笑出声来，但这一插曲使我的兴致嘎然终止。其实，我并没有如我在劳改队生产队从劳动人民那里获得的性知识所宣示的那样进入她的身体。不管我怎样努力她怎样努力我都折戟沉沙而灰飞烟灭。于是我慢慢地从她身上爬起来坐在炕上，低着头表现出我功败垂成半途而废的懊丧。我有充足的青春却不能发挥得淋漓尽致，肉体的力量不听从情欲泛滥的内心的指挥。我不知道毛病出在哪里但肯定哪里出了毛病，才不能让我把快乐推到极致。这种不到尽头的快乐将我悬在半空中，并且仿佛永久上不着天下不着地的悬在那里，于是我突然焦躁不宁惶惶不安，使我比不过"夫妻生活"还要难受。我弓着腰坐在她的炕头上，连连发出"啧啧"的惋惜和"唉唉"的叹息。

一会儿，她也爬起来在我背后将手臂环绕着我，多么像我六岁时在紫檀木橱柜中曾被一个小女孩搂抱着那样，四周也是夜色沉沉。但她的乳房是赤裸的，紧贴在我赤裸的脊梁上。她的脸偎着我的脸也如那小女孩似的亲切安慰我说：

"没啥没啥，你别在意，别在意好不好？我已经很舒坦了，你不信你摸一摸。"

说着她把我的手拉到她的下身。我至今仍然极其悔恨当时我以为她跟孩子一样尿了床，如果时光能够倒流我宁可减少十年寿命也要把时光扳倒回去领受她当时的体贴，因为那时我不知道我摸到的那一片尿似的潮湿究竟能向我证明什么？那尿似的潮湿不仅没有使我得到丝毫心理安慰，反而令我产生了些微反感，于是我赶忙穿上衣裳与她匆匆告别。

临走时她对我说了一句决定了我今后一生的话，她说："

"哥哥哟，你的心先怯了！"

是的，当我在月光下懊丧地返回集体宿舍快快地躺在冷炕上，仔仔细细地揣摩我为什么会失败时，我才悟到那打打当当响成一片的铁锹声是我折戟沉沙的主要原因。这就是你说的"怯"意了，而"事毕"证明根本勿须"怯"。"心先怯了"连"夫妻生活"都只能过半截，还能做成功什么大事？我在你身上的失败从此激起我开辟前途的勇气；你的话成了我的座右铭，在我以后的生活中总不断提醒我："怯"，是人生道路上的最大障碍！"魔障"都是从自己心里产生的，现实中并不存在恐惧，恐惧都是"境由心造"！

马克思说"人的本质是全部社会关系的总合"，还曾对他女儿说过人所具有的他都具有；高尔基说人要力争成为"大写的人"，这与释迦牟尼一出世所说的"天上地下唯我独尊"有一定的相通之处。这些先哲的教导无非要人雄心勃勃顶天立地，自信自强自尊，在宽容性中包含斗争性，永远以进取精神面对现实。你虽然不是哲人却让我彻底排除了畏惧犹像，启发我完全勿须胆小怕事地想象些困难来自己吓唬自己；你使我今后的一生都勇往直前。你的坦荡自在与无所顾忌，感染了我修炼出"事来则应事过即迁"的心态；我要把你的潇洒化为我的潇洒。我的感情和肉体在你身上已遭到最大失败，那次"青春期"的严重挫折让我将以后所有的失败都看作小事一桩，于是，世界上就没有什么我不敢做的事！

而这种心态正是"青春期"的特征：不知道什么是"怯"！不懂得什么是"怯"，所谓"初生牛犊不怕虎"！我虽然没有过生理上的"青春期"，但要在有生之年永远将心态保持在"青春期"当中，一辈子做一只长不大的"初生牛犊"。只要我记住你，我就能做到这一点。

人们说"无私才能无畏"，我在你身上把这个世界该给我享受的都享受过了，物质享受对我还有什么意义？"生不带来死不带去"，我早已把我所拥有的一切都看作负担，面对现实我又有何畏惧？我到死的那一刻也决不拖泥带水，在大喊一声"完了"的同时还要在空中划一条优美的弧线再栽倒在地。

　　啊，我的"白彦花"！……

一九九九年九月写于

宁夏银川镇北堡西部影城"安心福地"

117

老照片

一

　　我与祖父、父亲三代人的合影，是 1996 年访问台湾时我姑母给我的。这张照片大约摄于我 12 岁在南京上初中一年级的时候，1949 年随她到了台湾。照片前左的中年人是我父亲。在大陆，我的家庭照片早已在一次次政治运动中一批批地暗中毁掉了。仅剩下一张我进劳改队都保存着的我父亲的单人相片，我在一篇散文中记述过：1971 年"一打三反"运动在农场展开的第一天早晨，对我采取"突然袭击"，要把我再次关进"土牢"的时候，我乘看守不注意，从装我全部"财产"的一个破纸箱里抽出来偷偷地揣进衬衣,然后把它塞进一条水沟的泥底了。倘若当时被搜出来,那可是一份确凿的"资产阶级孝子贤孙"的证据,对"右派分子"兼"反革命修正主义分子"的我,凭这张照片就可以立即逮捕判决的。这次从姑母那里,总算我又有了父亲的遗像。

1971 年那天早晨,我们这些"犯人"的工作是脱土坯。不知用这个"脱"字是否对,方言音是 tuo,动词,"脱土坯"就是把搅拌了草秸的胶状泥浆捣进木模使它成型,晒干后当作砖盖房子,那土坯房就是被称为"干打垒"的了。为了就近取材,劳动场地设在水沟边,这样,把沟底的泥捞出来拌上草秸便可以捣进模子了。多少年后,我又一次到这条小水沟边凭吊。小沟早已干涸,成了公路旁的路沟,长满丛丛杂草。指向天空的根根芦苇,抽出白色羽毛般的长穗,像一条条招魂的灵幡在风中摇曳。人的肉体被消灭了,灵魂飞散了,印有躯体模样的那张被叫作"照片"的纸,被深埋在泥土中最终也化为泥土,也许还变成了"干打垒"的一部分,也许已与我后来住的"干打垒"的土房融为一体。这么说,父亲的阴魂始终没有离开我。长久地立在路边,似乎听见周围响起某种宗教在安葬仪式中吟诵的如怨如诉的祷文:

泥土归泥土,魂魄归魂魄!

二

台湾的姑母翻箱倒柜地将我们祖孙三代的合影找出来给我。我曾在我选集的扉页上发表过,如今我一直把这张照片置于我的案头。前一阵子,被称为"老照片"的旧时代的摄影作品忽然流行起来,和"重复建设"一样,不少出版社竞相重复出版,还有什么"红镜头"、"金镜头"、"黑镜头"之分。其实,有很多照片谈不上是什么"摄影作品",不过是乡间小照相摊点照的全家福、纪念照之类的留影。但从畅销的情况看,人们仍非常喜欢这些泛黄的黑白照片。出版单位把老照片说成是"文化",那么,我家祖孙三代的这张合影也是"文化"了。可是,"文化"又是什么?为什么一些对"文化"并不感兴趣的人或说并不是在"老照片"中寻找"文化"的人,也很喜欢"老照片"呢?我以为不管将老照片当作文化也好,或只不过借此聊以怀旧也罢,人们对老照片的兴趣,总表示了人天生有对事物刨根问底的向往;"寻根",是任何一种生物内在的本能,树木"叶落归根"的自然现象，不也衍化成了一个政治性的感召吗？人们从来没有把任何人、任何生物、事物当作突如其来的个体，从来都是将每一个人、每一个具体事物与他或它的上代结合起来观察和考查的。社会有社会的历史，人和生物，也有各自的谱系。

重又见到这幅"老照片"之前，我就一直对寻找自己的根感兴趣。1995年我参加在武汉举办的图书展览会，抽空请我的好友、湖北作协副主席刘富道领我"寻根"。我记得小时听母亲讲过，外祖父是清末最后一任江夏县知县，她老人家1908年就出生在江夏县县衙门。近90年过去了，江夏县衙门当然不复存在，但我想房屋建筑总还留下一点遗迹吧。清末的江夏县在现在的汉口，离武汉市区还有一段路程，两人下得车来，富道陪我穿街过巷，转了半天，问了好几位老年人，都不知道清代的江夏县衙门。最后一位守杂货店的老人依稀想起旧时的县衙大约是现在的造船厂。到了"武汉第×造船厂"，工厂好像是停工或者放假，厂区没有工人，而传达室却不放我们进去。富道又着急四处找熟悉的人，在烈日下挥汗如雨，可是一时哪里去找？恰巧迎面来了个年轻人又是位文学爱好者，知道来了两个作家，领会了来意，蛮热情地带我们到处转。厂区里居然有座辛亥革命烈士的纪念碑，看来我们找对了，然而再没有旧时的碎砖片瓦，江水汩汩，细浪舔岸，空落的厂房聒噪着鸦鸣雀啼。这 就是当年处理江夏县政务的官衙吗？机器的轰鸣，工人的喧哗，早替代了琴棋声、吟哦声和大堂上的审案声。我外祖父是在哪里读书的呢？他老人家名振一时，是清末的一位鸿儒，曾做过湖广总督的总文案，比附起来，要比现在一个省的秘书长大得多。80 年代某一期的《团结报》上还刊登过他任江夏县令时倾向革命党人的"进步事迹"。书房没有了，居室更无处可寻。即使厂房，今天也悄无声息；机器锈迹斑驳，厂内白草萋迷。县吏衙役执事巡捕等等在一次大革命后作鸟兽散，厂长科长主任工人等等又面临一次的革命将重新组合调整。但当年就在这一带的什么地方诞生了一个女婴，90 年后这个女婴的儿子又来到此处，儿子也两鬓斑白了。其它所有事物已随时光消逝得无踪无影。时迁事移，一切的一切都倒塌风化消失了，只有生命流传了下来。

是的，世界上还有什么比生命顽强的呢？

三

应该感谢富道仁弟，事后他写了篇短文记述陪我"寻根"的经过，登在《武汉晚报》上。不久，就接到湖北黄石我本家兄弟子侄的来信，不是我去"寻根"而是"根"寻到了我。

我一直认为我祖籍安徽省盱眙县，生于南京，说我是江苏南京人也可。因 1958 年盱眙县划归了江苏省，所以至今我在各种表格中籍贯一栏下都填写的是江苏。我记得很清楚，被毁掉的家庭照里，分明有几张我母亲和奶妈在日寇入侵南京前，携我逃到盱眙县老家拍的照片。当时我尚在襁褓之中，其他人物有男有女有老有少，都是我老家的亲戚，大大小小总在十位以上，衣着整齐光鲜，不像是落难的人，背景是一座小山头，大概那小山是盱眙县的一个风景名胜吧，而且，照片还是自带的相机拍摄的，这么说，盱眙县老家的人光景还过得去，我家在盱眙大概还算"殷实人家"，所以我一直对盱眙县的印象很深。

可是，湖北黄石西塞乡亲戚来信并且寄来照片，在黄石西塞乡竟还有我曾祖父曾祖母的坟茔。从照片上看，坟茔居然完好无损。这才给我解开了我在美国时产生的一个疑问。

1985年我在美国爱荷华国际写作中心，应邀出席芝加哥大学举办的一次文学座谈会，中午饭后趁便参观了大学图书馆。在中文书库的工具书部，陈列着汗牛充栋的各类字典、词典、索引、年表、年鉴、百科全书等等，好像有关中国的资料都被图书馆囊括了。其中还有各个历史时代出版的中国名人录，放在架上任人翻阅。我随手抽出一本民国时期编的《中国名人录》，在张姓一栏里查到我祖父的词条，我祖父张铭，号鼎丞，就是照片右年长者。但词条下却注明他是湖北黄石人。我知道祖父曾在湖北黄石做过官，是辛亥革命后第一任大冶县县长（大冶即今天的黄石），但他并不能因此就算作湖北黄石人，是不是这部名人录搞错了？那天中午我一连翻阅了四五本不同的民国名人录，在祖父的词条中，籍贯全注的是湖北，这么说来，我的祖籍应该是湖北了？

从黄石亲戚寄来的照片看，曾祖父母的坟茔坐落在山坡上，背后一片苍柏翠竹，也许是因为拍摄的角度吧，远处一株高高耸立的塔形杉树特别引人注目。从堪舆学上说，确实一处好风水。原来，曾祖父是清末长江水师的一名军官,被封为"武功将军",谢世后即葬于黄石西塞乡。我祖父出生于曾祖任职的黄石,1975年去世,享年94岁。他在美国读书时就参加了孙中山先生创建的同盟会,得到了芝加哥大学和华盛顿大学两个法学学士后回国,一直在民国政府做不小的官,病故时任上海市人民政府参事室参事。那时我还戴着"帽子"在劳动改造,没能见最后一面。80年代初在台湾的姑母返回大陆探亲,才遵他遗命将他的骨殖移葬到黄石西塞乡祖茔旁边。

肉身在世界上转来转去,起落沉浮,最终回到他(她)的出生地,"叶落归根"此言不虚。

四

接到黄石市本家兄弟来信不久,到底接到了盱眙县老家亲戚的信了,同样附有我家在盱眙县古桑乡张家庄祖茔的照片,并且还有一本家谱的复印件。家谱是宣统元年由在黄石做官的曾祖修订的,前有曾祖的题跋,开宗明义即注明我这一张姓家族是"盱眙支派",世居"盱眙南乡古桑树张家庄"。也就是说，我曾祖尽管在黄石做官，但仍顽固地坚持自己家门是盱眙人氏。祖父生前希望回到他的出生地，曾祖何尝不想回到盱眙县？那么为何葬在黄石？我想是因为他去世时已是民国八年了，作为前清的官员，他已无力使自己的骨殖回到他梦魂萦绕的家乡。

葬在盱眙县古桑乡的高祖，即曾祖的父亲，也被清朝诰封为"武德骑尉"。祖茔好像是一块较高的开阔地上，周围的景物看不太清楚，似乎是农田又仿佛是零散的村落建筑，但地势较高而平坦。顺便说一句，与高祖合葬于盱眙县的高祖母和与曾祖合葬于黄石的曾祖母都是"皇清诰封恭人"。

接到两地寄来的祖茔照片，不胜唏嘘。难得的是经历了一系列动乱，更有"辟山造田"、"学大寨"等等对生态环境的破坏，而两处祖茔居然能一直保存到今天，不能不让我顶礼浩叹"祖宗有灵"了。

1995 年在北京参加"两会"，在会上有幸结识了在安徽天长市挂职当副市长的陈源斌，即著名小说《万家诉论》（后改编为电影《秋菊打官司》）的作者。他是那一届全国人大代表。承他关心，他知道我祖父是民初的天长县县长后，回到安徽他很快给我寄来我祖父任职时所建的图书馆的照片。图书馆在当时算是西洋式建筑，规模不大却很考究，门上的匾额至今仍然悬挂着我祖父所题的隶书，简捷明了的三个字——"图书馆"，前面没有标地名。照片上还有两个读者坐在树荫下读书。来信说，这座图书馆现在仍使用着。

读者也许会觉得我唠唠叨叨地拉扯这些家世没多大意思，诚然，任何人都能把自己的家世扯一大堆话出来。今天我不过是想说，每当我看这些"老照片"的时候，逝去的事物总如烟如风地吹拂着我的面颊，而且周身会感到氤氲的暖意。我想，这就是人们常说的"文化"的一种副作用吧。

祖茔和图书馆的照片不是"老照片"，但确定是古旧的事物，它们今天还耸立在那里。那应该是比"老照片"更有文化内涵的。我常想去两个家乡看看。尤其引诱我的是：黄石亲戚来电话说，我祖父当大冶县长时坐的轿子，至今还吊在他们家堂屋的梁上。去了，一则扫墓，二则也瞻仰一下遗物，在经历了乱世浩劫后，尽一个"孝子贤孙"的本分。去年，恰逢长江流域闹洪灾，我带了些钱和中国作家协会组织的采访团一齐去湖南，本想顺道到湖北黄石西塞乡，但看到湖南安乡县灾区的困难，一下子把两万块钱都给了安乡的一所残疾小学，致使囊空如洗。不过我想，若果真"祖宗有灵"的话，祖宗还是会谅解我此举不负先人所望的。

五

由于祖孙三代的合影放在案头，时常见到，不由得不想到同一血统、同一谱系的生物人，除了外形相似之外，内在的灵魂是否会有某种传承。佛教称为"阿赖耶识"的，是不是在生物学科学上就是种子的特定的"质"？灵魂如果也是一种带"质"的"物"，每一个灵魂个体就应是具有特定的"质"的，那么它也应该能与其它会遗传的生物分子譬如基因等等遗传给后代。灵魂不灭的形式，就是依附着一代代肉身的繁殖而传承下来。神灵意识占统治地位的早期的人类，对繁衍后代的关心（生殖崇拜），可能很大程度并不在于财产的继承，也不在于部族家族祠堂所谓的香火的延续，因为那时还没有私有财产制度，更没有出现包涵宗族家族的奴隶制文化，远古时人们主要想的，就是使个体灵魂得到永生，即我们现在赠给死者的词："永垂不朽"。

于是，我想，人不可能没有宗教情结。唯心主义干脆就公开宣称这样那样的宗教了；唯物主义以反对各种宗教自居,但最终也可能变相地成为这样那样的宗教。号称唯物主义者的理性知识如转为崇拜与信仰,其失去理智的狂热程度,比唯心主义的宗教狂人有过之而无不及。这已由一连串历史事实证明,不用再遮遮掩掩地否认。所幸的是,历史命定的循环反复,好像逐渐使长期以来争论不休的两大哲学派别有"合二而一"的可能性,或者换种说法,是人们逐渐摆脱了机械唯物论的统治,开始承认唯心中有唯物的因素或唯物中有唯心的因素了。人类已经制造了一种仪器将它送上太空,寻找一种叫"反物质"的东西,其意义在哲学上将会引起不可估量的影响。再譬如,人们通过先进的科学仪器也已发现,人在临死亡那一刹那,躯体竟会猛然减轻少许重量。那么,失去的究竟是什么?躯体所有物质的部分都处于精密仪器的严密监视下,证明物质部分包括最后的那一口气体,并没有丝毫减少,而生死之间竟然会有一种有分量的东西逸出躯体!于是,令人不能不怀疑到虚无飘渺的灵魂真的是具有"质"的某种"物"了。

我想,从人们喜欢"老照片"这种心情看,我们所谓的"文化",说到底,大约应该是对灵魂的终极关怀吧。

父子篇

一

　　儿子带回通知来,学校要开家长会。儿子再三叮嘱:每个家长都要去的! 那神情一扫平时的幼稚,十分严肃而郑重。在他那个世界,这个会无疑相当于联合国大会,是一项大事。我说,好,我一定去。那么你去不去呢?他说,老师光叫你们,我要在家做作业。看来,这还是一次"背靠背"的会呢。

　　会在他们的教室里开。夏天,小小的课堂里挤满大人。每个人都蜷缩在自己孩子的座位里,不但身体缩小了,心灵仿佛也一下子缩小了许多。老师在讲台上睥睨着我

和检查孩子做作业的，溺爱孩子的；不督促孩子学习的，放纵孩子不遵守校规的等等。虽是不点名的批评，可一下子搞得人人局促不安。当然，也有无动于衷的。我想，无动于衷的人不是好学生的家长，便是本身就是坏家长吧。而我，几乎以为每一项批评都针对着自己。这倒不是说我是个好家长，却是多年形成的毛病。我至今还有在台上讲话仍以为是做坦白交待；在台下听批评、特别是不指名的批评总以为有我一份的感受。有人说我做报告和演讲十分坦率，爱讲真话，其实那并非生性诚实，不过是一种强迫性的习惯而已。现在检查自己，要说溺爱孩子，我还不是过分溺爱的，弄不好也打两下，"扑作教刑"；放纵却也没有，这孩子生来性格内向，管束紧了并不适宜；督促嘛，想起来还是喊几句的。总之，因为自己小时候就缺乏管教，到老来也没有坏得不可收拾。某些错误，倒常常是人家强加给我的。真正属于我的思想错误，又非品质恶劣所致，相反，品质恶劣的人却与思想错误无缘，恶得巧，大奸似忠，说不定还能获得"思想好"的评语呢。所以，根据自己的经验，对孩子我一向主张采取老庄的态度，顺其自然。但这分寸也难掌握，因我并不知何谓自然，又常常要用自己的模式来要求他。因而，我管孩子就是在管与不管之间，说得不好听，其实是带有很大的随意性了。唉！给我当儿子大概也是很难的。

老师一边批评家长，一边诉说现在为师之难。两位老师要求家长注意孩子的卫生，说，夏天，五十多个孩子挤在这么一间小屋里，光气味就熏得人头疼。“不信，你们在这教室里呆一个小时试试看!”班主任带着牢骚训我们。果然，这时我才发觉屋里弥漫着一股臊味。在《灵与肉》中，我把这种气味写成“干燥的阳光味”，那不过是美文学的修饰罢了，实际上是尿臊夹着汗臭。如此空气浑浊，一个小时尚且受不了，何况要闻好几小时，并且天天如此呢! 我刚刚说那位女士香风四溢，看来是冤枉她了。她也不过是淡妆素抹。只是在这样的房间中，不臭，反成了异味了。我儿子既不爱洗头又不爱洗澡，多好的衣服穿在他身上三天便成了搌布，还没有当文人却已有了文人不修边幅的作风。对别的批评我还不能肯定。这项批评无疑有我一份。看着自己穿着干干净净，不觉暗自惭愧。

观察老师，两人大约都不超过四十岁，但已显得很憔悴，脸上都表现出平日的辛苦，少年早熟，中年早衰，我们的“超前消费”如果仅指商品而言还不可怕，令人担忧的是人生命的“超前消费”。于是，对老师们，我不由得产生一种内疚了。让孩子别散发出臭气。使老师们呼吸的空气洁净一点，这我还是能做到的吧。

然而又想，现在做小学生也不易，。孩子每天抱回的家庭作业总是一大堆。到家就伏在小桌上，案牍劳神，一个部级首长批阅文件也没有这样辛苦。每在后面看着他耸起瘦削的肩胛骨,就像鲁迅在"药"里描写的那样成一倒 8 字,也于心不忍。回想自己儿时,只知顽皮,寒暑假作业从没完成过,也常感生逢其时,幸亏岁数大了点了。

到底还是"背靠背"的会。散会后,班主任告诉我,儿子不爱说话,叫他站起来回答问题或背书,支支吾吾地总不开口,十分腼腆。却也没有说身上臭的话。

我想,关于腼腆问题,等他大了自然会改变的。像我一样,到一定岁数脸皮就厚了。但我不知道这是好还是不好。

总之,还是随他去吧。

青春期

二

在家长会上挨了老师的训,又同情老师,想使老师呼吸的空气洁净一点,所以我就很注意儿子的卫生。

孩子自小不爱洗澡理发。上幼儿园的时候,为了省事,只好给他留一个所谓的"妹妹头",不知道的人还以为他是个女孩子。向别人解释,却说这是日本男孩流行的发式。这既是自我辩解，又有点"为亲者讳"的意思。也常带嘲讽地想，等他到了要交女朋友的时候，自己就会爱干净爱漂亮起来。到那时，恐怕成天头疼的倒是供不应求于香波香皂名牌时装之类了。因而也随他头发乱长。

我自己小时也不爱理发。那时小孩的发式一律是"和尚式"，虽不用刀刮，但坚硬的金属推子直接贴在嫩皮细肉上拱，滋味也难受。理发，总有一种受制于人，令人摆布的感觉。我从没见过一个爱理发胜过玩耍的孩子，大概是人生来便不愿受制于人。到大了，逐渐知道外表的重要性，所谓人活得要像个人，其中就包括有必须经常理发洗澡这一程序。似乎理了发洗了澡人便像个人了。在劳改队，队长对犯人实行人道主义最典型的表现，莫过于定期督促犯人理发洗澡；我国的附加工资中还有"洗理费"这一项，更体现出我们国家对人民的家长式的关怀，要使我们国家的这些儿女们个个容光焕发。果然，后来条件稍一具备，不经常理发洗澡，真感觉到不像个人了。孩子在懂得顽皮但不懂得做人的时候，当然没领会到洗澡理发的必要，更不领会自由有一定限度，做人首先须受制于人的道理，于是，带他去理发店总须威胁利诱一番。上了理发椅，就像上了美国式的电刑，其表情堪怜堪叹。但为了使他像个人，也只得横下一条心来。

先是跟我谈条件：光剪发不洗头。但光剪不洗等于不理,头仍是臭哄哄的。所谓"干燥的阳光味"加汗味、头油味、尘土味等等,熏得人退避三舍。所以我们父子俩常常在理发店就争论起来。我儿子还有个优点:他是金钱物质不能引诱的。我也从来没有用"物质刺激"的手段鼓励过他。一次,他拿了一张"大团结"去跟同学换三张贴画,可见他还不懂得钱的价值。所以,谈判也并非在经济范围内进行。他是个自尊心挺强的孩子,已经开始好面子了,针对这种特点,我总是从怎样别讨人嫌这方面来开导他。我并不长于谆谆善诱,本应从卫生学的观点来阐释洗头的必要性的,却常常过分强调了讨人嫌的可怕性。我想,从长远的观点看,这是对孩子将来做人没有好处的。但人总是急功近利,没有办法,从小就灌输了他"他人即地狱"的存在主义思想。

有时是我胜,就洗头;有时是他胜,就带着满头满脸发楂回家。他胜也好,说明他居然不怕讨人嫌,还有直面他人冷脸的勇气。看他满头满脸的发楂竟敢招摇过市,也不禁羡慕他活得洒脱,而我们大人倒是活得累且拘谨了。我们大人怕个人影响不好、别人的印象不佳,怕流言,怕蜚语,怕的事情太多。孩子之为孩子,就是什么都不怕,不是有"初生牛犊不怕虎"的成语吗?什么都怕的人当然仰慕什么都不怕的人,因而孩子有时也会成为我仰慕的对象。但是孩子总归会大的。而我却是不会再小了。他将来也会变得和我一样,什么都怕。他的变,有我的一份所谓教育在内。而我的教育又是要改变他身上令我羡慕的东西,所以我时常迷惑于父教的价值,就像他拿着一张十块钱的钞票似的。

　　父亲年纪太大,孩子年纪太小,便会使父亲生出许多迷惑来。年轻的父亲就不管那么多,只管孩子有吃有穿就行了。他自己对许多世事还搞不清,带孩子时顾虑便少,孩子多半是他愉悦的玩具。年纪大的父亲背着沉重的经验包袱,对小小的儿子进行教育时常要掂量自己的每一句话,总要付出很大的心理能量开支。

　　但带他洗澡却有不同。替他擦背,翻过来掉过去摆弄他瘦小的胴体,会想起老托尔斯泰描写安娜抱着他儿子时"感受到一种生理上的愉快"之用语精确。家里虽有卫生间,可是烧热水麻烦,冬天我们都是到公共澡堂去洗。牵着儿子的手,儿子拎着盥洗用具,一边走一边聊,或是争辩洗头不洗头的问题,还没进澡堂就好像已经热水淋身遍体温暖了。有时我们到政府设的内部澡堂,有时去商业性的澡堂。后者设有雅座,父子俩独占一间。这时,孩子与我都有浑然无间的感觉,代沟也不存在了——不是他变大了而是我变小了。人生最大的快乐,莫过于重新体验到儿童的快乐。

　　平时怕他身上脏,这时反觉得他越脏越好。在他身上搓下的泥垢越多，就感到收获越大。洗出一澡盆污水，简直有一种丰收的愉快。

然而，遗憾的是他逐渐逐渐地要大起来，几年以后他就不会再和我共洗一个澡盆了，更不用我替他搓澡了。真是人生的乐趣愈来愈少！

三

有朋友说我儿子走路的步态完全和我一样，"看看你儿子的姿势，就知道你自己走路的德行：一副外八字！"我自己不觉，还以为步态很潇洒，想不到在别人眼中原来是鸭子步——我儿子就是那种样子。

由此我就想到遗传。细细回想，我儿子的步态似乎又和我父亲相像。过去在历次政治运动中，虽然老查我父亲祖父直至曾祖高祖，但想念他们的时候几乎没有。倒不是因为想念是一种罪过而怕得不敢想，实在是由于理智的思索已到了穷途末路。审查人员要了解的是他们担任过的职务、干过的坏事，至于他们长什么样子、有什么生活习惯等等，却不多追究。但他们担任过什么职务、干过什么坏事有的我的确不知道,有的我又一时想不起来。现在检查,为什么会想不起来呢?我并没有"为亲者讳"的孝心,那时确实想戴罪立功的——上代人犯的罪会累及下代,而下代人交代出上代罪行的多少又会影响对下代人罪行的量刑,也是这种司法制度的奇妙之处。职务好说,他们干的坏事却常使我挖空心思而不得,惹得审查人员总是大骂我不老实,每次判决书上都把我捧为"孝子贤孙",实令我对政府和先人两方面都感惭愧。直到今天我才发现,他们干的坏事也罢、好事也罢,主要不是能靠理智的思索而应靠形象的回忆才交代得出来的,即文学创作上说的"形象思维应大于理性思维"。如果当时我能多想想他们的模样(用当时的话说是"嘴脸")、他们的生活习惯等等,也许我就能更多地交代出他们的罪行了。这真是那种审查制度的缺欠和不科学之处。如今我把我的心得提供出来,以使那种审查制度趋于完善。以后再碰上这样的机会,审查人员应多从形象上加以启发,更佐以人情味的诱导,肯定立奏奇效。

写到这里好像离了题,其实不然。这一连串想法及对那种审查制度的思考,都是从我——我儿子——我父亲的步态上产生的。步态的一脉相承当然是一种遗传。

有道是"养儿才知父母恩",在我来说,养了儿子也并不记得先人多少恩惠,所忆及的倒是坏处多。整了二十多年,已经把我的亲情感全部整光。好像芥川龙之助写过一篇名叫《河童》的小说,说婴儿钻出母体之前,应有选择是否愿意诞生在这个家庭的自由。如果我有这样的自由,从那瞭望孔看到这家又有沙发又有弹簧床并且铺了地毯,肯定会缩回去在母腹中自尽,免得大了交代不清。

不过,由于生物繁衍的本能,现在养了个儿子,因儿子的像我,不时会联想到我与先人是否有某些相像之处。回忆时既无悲凉惆怅,更无温郁馨暖,仅仅有点遗传学的兴趣,如此而已。

从形象上回忆祖父和父亲,就想起他们的许多坏事来了。我祖父曾作为蒋介石的特使出使过尼泊尔,尼泊尔国王送给他很多礼品,其中仅一把宝刀就镶满钻石,这些东西他都没交给国家,以后全被他挥霍了。这是他为政不清廉之一例。他还特别爱吹牛,三十年代初他率领一个华侨代表团归国观光,蒋介石与他们照集体照,他老人家单单把他和蒋二人挖下来另洗,两人肩并肩,好像很亲密的样子。一九五〇年,他住杭州,明明是回南京,却在大门口贴张条子说毛主席邀请他北上共商国是去了。他还说一九一九年他去北京开大学校长会议时,在李大钊家与毛主席谈得极为投机,当场慷慨解囊,资助了中国早期的共产主义运动,等等。这些话真假掺半。我想见大概是见过一面的。在"文革"初期,八十多岁的他被扫地出门蹲在一间小破房里索索发抖,他竟托江青转呈毛主席一封信,历数艰辛,而不几天，上海"工总司"（当时革委会还没有成立）居然把他解放了出来。尽管文史馆群众批他是"三迷"（官迷财迷色迷）要揪斗他，但他仍逍遥法外，一直逍遥到一九七七年九十四岁才彻底逍遥。在很多民主人士寻死觅活的时候，他竟然天天拄根"司狄克"溜大街、下馆子。小轿车没得坐了，上公共汽车就挥舞"司狄克"一阵乱敲，叫别人给他让座位。不知底细的人还以为他是一个老造反派呢。

从满清、辛亥革命、北洋军阀、国民党、共产党、"四人帮"及"四人帮"之后，历朝历代他都风光。早期，他可说拥有万贯家财，破产以后，即使在"四人帮"时代，外援加工资，每月收入也不下七百元。在那时，这就是个大数目了。然而在他更为逍遥时，我姑妈检视他的存折，见上面仅剩一块钱的压底。真可谓生不带来死不带去，活得和死得都痛快了。我在劳改队辗转于生死之间的时候，曾没出息地向他求过援。他寄来十块钱，并附了一张他和他干孙女的合影。说正在教这位干孙女英文，她如何如何可爱云云。姑娘眉眼妩媚，巧笑情兮。那时一斤粮票要卖七元，一斤黑面点心三元，十块钱刚好买一斤粮票后再去买一斤点心。不到十分钟我就把点心吃得连渣子都不剩，但从此再也没和他通过信。十四年后，农工一级工资从二十三元调到二十七元，水涨船高，我不得升级也补发了近百元，同时农场正忙于"批林批孔"打派仗，顾不上我这个死老虎，于是我突

学校图书馆一本。不送倒好，送了等于给我教书的学校提供了批斗我的材料：原来你还有这么一个老官僚的祖父没有交代！

那年离开上海的前一天夜里，听见姑妈和他争论。姑妈叫他多给我一点钱，说你只有这么一个孙子，又是长房长孙，用你一点钱也是应该的。而他仅答应出一份回程的车票。我想大概也是我父母用他的钱太多，而他却没有得到任何回报之故吧。很多年以后，听到一些革命历史不短的老同志竟会想尽千方百计为儿孙经营谋划，不禁感叹这些老同志还不如他这个老官僚把人生看得透了。

有一年我去美国，在芝加哥大学图书馆，并不费事地就查到了有关他的资料，我还不知道他早在二十世纪初即在华盛顿大学和芝加哥大学拿了两个学位。但他学的是在中国毫无用处的东西——法律。因学不能致用，所以后来学问一点也没长进，反而把所谓民主自由平等忘得光光的。比如说吧，他老人家在南京卧室的布置，现在想起来就令我发笑。他把他的卧室称作"寝官"，床称作"龙床"。"龙床"四周饰以夫子庙买来的京剧舞台上用的帷幔帘帐。帘帐上挂着他顺手捞来的许多莫名其妙的东西，像烟盒里的锡纸、镜片、红红绿绿的丝线粽子、玻璃珠子等等，琳琅满目，熠熠生辉。他呼唤佣人从不叫名字，总是大喊"来人呀！"骂人一律是"混帐王八旦"。这种口吻，看过吴趼人写的《官场现形记》的读者一定会很熟悉。每日，他就由一个并不漂亮的女护士陪伴在"寝宫"中乐陶陶，文人雅士所爱好的琴棋书画他从没兴趣。我敢说他收集的古董没有一件是真品，但满抽屉的鸡血、田黄却是地道货。这些比金子还贵重的石头连同当代书法家如于右任、张大千等人亲笔题赠他的书画，后来都不知散失到哪里去了。他更为逍遥以后，姑妈只交给我一个铜墨盒，算是他留下的遗产。这件东西，多年以后我又托李欧梵教授转给了我在台湾的姑妈，让她远在海峡那边权且当作念物吧。

然而，就这样一位人物，却在满清时支持同盟会，在北洋军阀时支持南方国民党，在共产党还没成立时就和共产主义运动的领导人结交，在共产党时代又去巴结"四人帮"，总而言之，说好听点，他一向追求"革命"，说不好听的话，他老是不安分，倾向于当时的叛逆。我想，这并不完全是由他思想主导的，更不是出于对当时统治者的不满，而是他的天性使然。每想到他的这种天性也许会遗传给我，不禁汗毛凛凛，经常自诫还是夹起尾巴做人的好。

作为他的孙子，我的确不知道他的主导思想和人生追求是什么。要说从政吧，凭他的资历官会当得很大，而他当的最大的官不过是二十年代"宁汉分裂"时武汉政府的外交部长。谁都知道这个官是空架子。一九一一年辛亥革命后他在安徽天长县当民国第一任的县太爷，他曾自满地跟我说过他最得意的政绩就是废除了在大堂上打屁股。这大概是到底喝过洋墨水的缘故。但除此之外就没有什么值得称道的了。要说是图财吧，他一生大把钱进又大把钱出，可是并不经营生财之道，损失了财产也不痛惜，同时对自己决不吝啬，又非巴尔扎克笔下的"高老头"。说他贪恋美色吧，姨太太是娶过几个，但据我所知没有一位姿色出众的，反而是我的亲祖母最漂亮，而她却被他活活气死。所以革命群众批判他是所谓的"三迷"，也确实冤枉他了。

因为他不做学问，所以就搞不清他的思想。"五四"前他是安徽政法大学堂校长，所教的东西不过是他从美国贩来的原装货，于国于民都无补益。他有不少藏书，我敢说他很少去读，至少我从未见他捧着书吟哦过。有人"述而不著"，他却是既不述亦不著。我想，他年轻时与人酬唱，多半也是请人捉刀吧。那本让我倒霉的《辛亥革命回忆录》我无缘拜读，到我粗解文字时，我倒是见过他编的《健身》。为什么编这样的书，我将在另一篇文章里再谈。因编那本书和我这里说的遗传无关。那篇文章将会揭开一个解放前轰动南京的骗局或说是趣闻的谜底。

他是一个什么样的人呢？或者说我和我儿子的血液中有一种什么样的成分呢？

他把喜剧中的角色都扮演完了，剩下的悲剧角色只能由他的后代去扮演了。这不是性格问题，而是各自所处的不同的时代问题。我有时想，也许我处在他那样的时代也会和他一样。这样想很有趣。我以为我不会比他坏，也不会比他好。我也会拿下两个美国大学的学位，也会废除打屁股，也会倾向历朝历代的叛逆者，也会贪污礼品，也会挥霍浪费，也会娶姨太太，也会对儿孙看得如行云流水一般淡然。什么都会，但不会成为一个写小说的人了。这样想的积极意义在于，有时我自以为生不逢时，想换一种活法的时候，就会想到换一种活法也不过是他老人家那样的一生，不可能还有什么大作为的。这很像萨特所说的"面对过去的恐惧"，因而也就安分守己了。人贵在有自知之明。我觉得彻底的自知之明应该在遗传的因素中悟得。那不仅能悟得自己的一生，还能悟得自己的三生或更多。

四十年代，我母亲在一次社交场合遇见一位著名的油画家，他知道我母亲的公公是谁以后，笑着说，二十年代初期他在巴黎当穷学生的时候，每天清晨都听见对面旅馆的阳台上有人用极不准确的法语大唱《马赛曲》，吵得他睡不成懒觉。一天他实在忍不住了，爬起来要骂他一顿。结果一看，"原来是令尊大人!"我也在巴黎住过几个月，还从来没有碰见过一个引吭高歌《马赛曲》的中国人。中国人的牢骚已经多于歌唱。清晨，我曾在艾菲尔铁塔下散过步，橙色的巨大的太阳从灰色的巨大的铁塔下冉冉升起，我不禁低下头来，我不知道是想向谁致敬还是想向谁致哀。照耀过一七八九年巴黎的太阳并没有使我明亮和明朗起来。一次，坐在铁塔附近的露天咖啡座上，我忽然想起母亲告诉我的他这段轶事。我想，他老人家废除打屁股和高唱《马赛曲》之间肯定有某种联系，遗传学的妙处使我可以从反求诸己中来推想他的心理。他一定也奋发过，热血沸腾过，想有所作为过，但在那时一切努力都会付诸东流，何况他又不是很努力的人。于是，给他剩下的只有"玩"这个项目了。他并不是玩世不恭地玩，而是正儿八经地玩。他有条件这样玩。他把他的精力和生命都投在"玩"这个项目上，都发泄在这个项目上。正儿八经地玩了大半辈子以后，用弗洛姆的话说，他完成了"个人化"的过程，用东方禅学的话说就是已经"彻悟"了。地位、财富、儿孙、荣誉等等，对他来说还会有什么意义呢？

但是，他老人家是可以玩的。他有条件玩。他的后代就没法玩了。人生给我们沉淀下来的东西沉重得使我们无法在玩中去消化掉。上一代创造的历史整个地压在我们的身上，害得我们玩也玩的心神不宁。于是我们在活得不洒脱的情况下，当然什么都丢不开了，比如，我对我眼前的儿子就是这样。喝咖啡的时候我这样想。

别以为他是个猥琐的人物，他的"嘴脸"可是够气派的：圆颅、方额、凤眼、高鼻、阔嘴、长脸。我们的电影电视剧在过去丑化反面人物和现在美化反面人物的时候，都没有表现出这样一个形象来。这也是我总觉得我们的电影电视剧虚假的原因之一。从遗传的观点看，我们这个家族正如九斤老太太说的"一代不如一代"了。从形象上来说，我就自愧弗如。

我儿子走路像我，也像他爷爷和太爷爷。但他将来的"嘴脸"会怎么样呢？现在还看不大出来。

四

早年读朱自清先生的《背影》，才发现世界上还有那样的好父亲、那样温馨的父子之情，感动之余，不由得有点埋怨起自己的父亲来。后来大了，有时想，如果我父亲和朱先生的父亲一样，我以后一生的"感情形态"（这是我杜撰的词）也许会比现在好得多吧。

不论父亲的背影还是正面，我都有些怕，确切地说，也不是怕，而是一种疏离感。这倒不是出于什么俄底甫斯情结，因为这与恋母情无关，我父亲与母亲之间也没有什么感情，所以我并不用因此而吃醋。读过"五四"以来文学作品的人差不多都会发觉，与自己父亲有深厚感情的作家极少。鲁迅、胡适、巴金等等,好像都倾心于自己的母亲,笔下很少对父亲写过好话。政治人物如毛泽东,萧三给他写传的时候,从文章里也可看出他流露了对父亲的不满;至于蒋介石更不用说了,因为他很少提他的父亲,致使民间有他原来是河南人,小名叫郑三发子的传说。这个俄底甫斯,简直能改变中国现代史了。

细细想,《背影》之所以列为"五四"以来最优秀的散文作品之一,几乎每个时代的教科书都选了进去,是不是与它表现了中国少见的父子情的缘故有关呢?我真的不认为中国人有很深的俄底甫斯情结。我想这主要还在于中国传统的父道在作祟。"严父慈母",一向是我们的治家格言。这不仅是工作上的分工,也是感情上的分工。父一"严",总让儿子怕兮兮的。如不严,又觉得有点不像父亲了。"二十四孝"中有"老莱子彩衣娱亲"的传说,鲁迅曾斥之为"呕心"的,也许是我看的书少,我看过的稗官野史里就从来没见老子穿着彩衣逗儿子的故事。

平心而论,父亲对我并不严,不严到不管的程度。就这样我还有意见,可见得父亲也难当了。在我的印象中,一、父亲从来没问过我功课;二、父亲从来没管过我起居衣着;三、父亲从来没约束我的操行……总之,现在要我回忆我父亲教导了我些什么,脑子里完全是一片空白。这也就是在前二十二年中老要我交代受了资产阶级家庭什么影响而我总交代不出的原因之一。我最记得清楚他的一句话是：有一次吃饭时，同桌有一位老太太说，人的眼光是有毒的，盯在一样东西上看久了那样东西就会腐烂。他听了笑得饭都喷了出来，说，"要是那样，女人的大腿都烂光了！"

其实，父亲在我面前多半是不苟言笑的。什么都不管也是一种"严"，就像现在有的领导干部，越不管事、不表态，给人的印象却越"严"一样，因为他在我面前不苟言笑，所以他的这句笑话我倒能记一辈子。而我在我儿子面前经常嬉皮笑脸，我想将来我儿子恐怕连我的一句话都记不住。这也是没有办法的事情。

看自己的面孔，就深感我们这个家庭越来越不像话，衰败的迹象都挂到脸上来了。虽说我们没有深厚的父子情，我仍然曾经保存过他老人家的一张照片，历经两次劳改直到一九七〇年才毁掉。这实在是因为他老人家长得太漂亮的缘故。照片是一九四六年他在上海照的。那正是抗日胜利以后，他很得意的时期。那时，他的生活日用品全要在上海专卖高档洋货的惠罗公司去买。这家公司，老上海人大概还有记忆。他出现在柜台前面，售货员总会把他当作洋人，要用英语他说话，就可见其"绅士"风度了。他那张照片，是可以当作电影明星的照片把玩的。一九七〇年七月的一天夜里，农场的专政队员突然把我从牛棚中叫出来，带到一处临时改为审讯室的托儿所去拷问。我就知道

青春期

150

大事不好,我又要升级了。那天的审讯莫名其妙的。说我和贺龙有什么关系,这简直是抬举我,实际上不过是升级考试的一个形式罢了。拷问时,十个彪形大汉声严厉色,捎拳挽袖,从半夜审到凌晨,他们混了顿加班饭吃,于是审讯者与被审讯者都完成了任务。我算是通过了升级考试,把我从牛棚换到土监狱。专政队员押我取铺盖的时候,我乘机把老人家那张照片掖到衬衣里。清晨,犯人们合泥脱土坯,我分工合泥,看看背枪的专政队员面向别处,就将照片用脚踹进泥塘里了。

从此,我和这个家族在形式上断绝了任何联系。这是聪明之举。因为进土监狱以前,我的铺盖和仅有的一个装杂物的纸箱子被翻了个底朝天。倘若被革命群众翻到了这张照片,那可比什么和贺龙的风马牛不相及的关系要严重得多了。

一九七三年,我已出了土监狱。一次我又到这个泥塘边去劳动,我用锹翻遍了两年前我脚踹的地方,那张照片竟荡然无存,连纸渣都找不见了。可见得一个人的骨骸和一个人的形象,是那么容易就会消失掉的。

但是,他的模样却经常浮现在我的眼前。年纪越大,浮现出的时候越多。这并不是如弗洛伊德在《图腾与禁忌》中所说的出于犯罪感,要把被自己杀死的父亲请回来,而是一种老了的征兆吧。不过弗氏又说,"父亲因他之死成了真正的父亲，换句话说，父亲只是在成为象征性的父亲之后才成了真正的父亲。"这句话我却认为不错的。

儿子也逐渐大了，从他模样上看比我强点，但仍看不出将来能达到他祖父的水平。在遗传学上，不知这种马鞍形现象属于什么原因了。

我总觉得我身上有许多东西是从隔代遗传获得的。不是从我父亲、甚至也不是从我祖父，而是从高祖、甚至从猿猴那里传下来的。比如说吧，我祖父和父亲两代人养尊处优，连铺床叠被这样的事都没干过。而我居然熬过了长达二十二年的劳动改造生活，如果不是血液里有另外一种什么东西那怎么行呢？父亲就是一辈子过得太舒服了，终于熬不到给他"平反"的时候就瘐死在看守所里。他在一九五二年的一天夜里被捕，一九五四年看守所通知我这个继承人去领遗物。他在看守所关押了两年也没最后判决。当时虽然我已经有十八岁了，虽然读过了许多书，但在法律常识上还和绝大多数中国人一样毫无所知。这自然也是当时还没有什么使人明白的法律的缘故。以为政府逮捕人总是不会错的。瘐死就等于枪毙，连问也不敢去问一下，也无处可问。从此以后，我就不仅是个"官僚资产阶级"子女，并且是个"关、管、斗、杀"的子女，在新社会漫长的初级阶段，命运就可想而知了。

检视他的衣服，全部烂得不可收拾。唯一完整的是一

152

块极讲究的怀表，拨弄一下尚能嘀嗒嘀嗒地走。银质的表面上刻绘着张学良将军的头像，这是"少帅"送给他的。一九八五年，我在哈佛大学一次讲演的开场白中说，三十年代初期，我父亲在这条查尔斯河畔漫步。当时，抗日的烽火已经弥漫了中国。我父亲在几次漫步之后，终于毅然地放弃了在哈佛商学院就读的机会，回到祖国参加了抗日斗争……接下来，我才简略地叙述了中国知识分子探索救国道路的漫长历程。而事实上是，他回来以后就给张学良当了英文秘书。"平反"，虽然是个很古老的词，但为人人所知还是在社会主义的八十年代。给我"平反"时我很自然地想起他来，我坚信他要能和我一样地熬着活过来，肯定也会"平反"的。正是为了熬着活，那块怀表我当即就卖给敲小鼓的，换了十万块旧币，折合现在的人民币十块钱。

我的记忆中他老人家在生活上是舒服得过分了点。早晨眼睛一睁开先要发顿"被窝疯"，也就是说看什么都不顺眼，骂人，摔东西，然后等佣人把牛奶面包端到床上来用早餐，看报。他干过"官事"，办过公司，开过工厂，但他既不像官僚，也不像资本家，完全是一副艺术家的派头。每天搞一帮票友唱京剧，唱昆曲，要不就忙着办画展。至今我还记得他怡然自得地唱《坐楼杀惜》的样子，"宋公明，打罢了退堂鼓，将身来到乌龙院……"我之所以坚信他会"平反"，就在于他可说一辈子没扮演好那个社会分配给他的角色。他办不成好事，干坏事也不会彻底的，纯粹是一个俄罗斯文学中的奥勃洛摩夫，也即"多余人"的典型。至于他怎么会从一个热血青年变成奥勃洛摩夫的，这就和我祖父从废除打屁股、高唱马赛曲到一个被"革命群众"批判为"三迷"的老朽一样，出于同一的性格因素。

毫无疑问，我比他们能熬。这种"熬"的功夫可能是隔代遗传也可能是遗传上的变异。可是，在受不了挫折和容易被环境所感染这点上，也许我还是与他们一脉相承的呢。这是我常深自警惕的。然而，理智是否能克制根植于基因中的遗传密码的决定性影响，却是有疑问的。

儿子很爱画画，现在居然画得有点样子了。画面以太空为背景，人造卫星和宇宙飞船到处乱飞。这方面他很像他祖父而不像我，又是隔代遗传的作用了。我有时想，我父亲如果不去读什么哈佛商学院，不去给大官当秘书，不去经商，而是一门心思放在绘画上，肯定能成为一个有成就的美术家著称于世，他的命运和我的命运都会改观。他画画和我儿子一样完全是无师自"通"。这个通字我之所以加个引号，只不过是我以为他"通"而已。现在回忆儿时看过的他的作品，已经蒙上了一层印象派的色彩，好似出自莫奈的手笔。如今想在脑海中还原已经不可能了，但那时我的确认为他画得真"像"。"像"，虽然是一种幼稚的审美标准，但也可见他的基本功了。他专攻油画，喜欢浓抹重涂，用色强烈，也许这是享乐主义者的一个特点吧。最使我感兴趣的是他画的肖像画，因为孩子只有从肖像画上才容易看出像与不像来。奇怪的是，这位享乐主义者在当时那种繁华的氛围中，笔下所有人物的面部表情却都带着忧郁的神色。这不知是流露了他的深层心理呢，还是暗示了他未来的不幸。

我一点也没有绘画的才分，不过我写小说比较注意氛围的营造和景物的描绘，大概得自他的遗传。父亲早已成了象征性的父亲，为什么象征性的父亲才会成为真正的父亲呢？我想这大约来自一种既不能摆脱传统的苦闷又觉得自己随心所欲皆不会越出传统的欣喜吧。我就觉得自己的年纪越大，越能从自己的所作所为中找出父亲的影子来。从这种现象出发深入分析下去，也许不仅能得出一种生理学的规律，还能得出一种社会学的规律呢，可惜这种工作还没人去做。

我儿子和我都常爆发神经质的突发动作，比如坐得好端端的突然跳起来乱蹦，或是猛地大叫一声等等。在家里只有我们父子俩的时候就时有发生。毫无原由地两人会一齐跳起来，跳的姿势极其难看，说不好听，就像传说中僵尸的那种跳法，直挺挺地往上窜，边跳边吼。跳罢了又一齐狂笑。笑完了又好像根本没有发生什么事一般，再各干各的，我看书，他画画。祖父我不清楚，只记得父亲也有这种毛病：书房里常传出他怪腔怪调的叫声，母亲还说我婴儿的时候曾被他咬伤过。在我还没有孩子时，想起他与我的这种相似，以为是都出于心情苦闷和抑郁。有了孩子后，发现孩子也如此，七八岁的孩子总不会是由于心情的缘故吧。于是才知道这种神经质其实来自家庭的遗传，是一种来自身体内部的需要或冲动。不是这个家族内部的人不能理解，会斥之为"神经病"的。

常说人是一种最复杂最莫名其妙的动物，其实不然。我觉得，人平时的小动作小习惯直到社会行为甚至伟大的行动，好像都可以从他身体内部的某一种东西上得到解释，或者说是由那种什么东西所支配的。问题不过是那种东西是什么却难以弄清楚罢了。有道是"知子莫若父"，反过来也可说知父莫若子了。现在我只能用家庭这种遗传的神经质来推想他的行为。他放弃了学业急急忙忙跑回国参加抗日。"双十二"事变以后又冒冒失失地投身于商界，上海解放前夕兴冲冲地搞反蒋活动，我还记得上海解放那天夜里他站在我们家的楼顶上大喊大叫，无比兴奋的样子。只有我知道这些都不是出于什么思想进步，而是在每一次社会变迁面前都有一种莫名其妙的冲动。

为什么这样贬低他呢？因为还可以找出许多相反的例子。比如说吧。他的旧社会的不务正业，吃喝玩乐，交际广到滥交的程度等等。那时不少所谓的军政要员直至特务头子经常跟他一起狎游，我估计他被捕就是受了这方面的牵连，其实并没有多大罪过。然而，社会关系复杂，在新社会可是一个要命的事。前面我说他始终没有扮演好社会分配给他的角色，也可以换句话这样说：他本属于资产阶段，却没有资产阶段意识，就好像我们现在常说的有的工人并没有无产阶段意识一样。他一辈子都由祖传的神经质的冲动、也即下意识所支配，茫茫然于两大敌对阵营之间，哪里热闹往哪里凑。他活得又年轻，被捕时仅四十三岁，还没有像他父亲即我祖父一样，修炼到会给江青写信转呈毛主席的道行，终于两个阵营都抛弃了他，最后一事无成，瘐死狱中。

明白了自己家族的毛病，常引以为前车之鉴。唯一的办法好像只有反其道而行之了。我跟定了一种信仰，虽多次遭到来自同一阵营的批判而不悔，有移居海外的机会却偏偏赖着不走，说老实话，并非什么"思想好"，实在是怕再蹈覆辙。要么随着自己跟定的东西的发展而发展，要么随着它衰败而衰败，不管什么样的结果，总算死得有个名堂。

父亲四十三岁被捕，我四十三岁"平反"。同岁一进一出，是命运呢？抑或也是一种反其道而行之呢？

儿子刚满九岁，离四十三岁尚远，谁知道届时他会怎样。如果如庄子所说"万物皆种也，以不同形相禅，始卒若

睡前絮语

写了一个中篇，公司和文联的事基本上安排妥当，于是有时间和心情在睡前看点杂书及电视。看书没有目的计划，床边有什么就翻开什么；看电视也不查电视周报，打开电视是什么节目便看什么节目，因为早有这样的经验，除了新闻，好像所有的电视节目都差不多。看了书和电视，就会有点感想冒出来，随手记几个字的摘要，得便时敷衍成文章，就是下面这些"絮语"。

冯骥才是我老友，承他关照，他编的《文学自由谈》每期都给我寄，床边也就有了这份杂志。原来没时间细读，只看熟人的文章，读时就像跟朋友聊天，颇为有趣。现在有机会兼顾其它了，竟在同一期上发现有两篇文章批评到我。受宠若惊之余，把玩一番，可是却"不帮助我还好，越帮助我却越糊涂"。抄出来向内行请教。

一篇是谈"男性作家落后的妇女观"的。本来我就最怕这个"观"那个"观"："世界观"、"人生观"、"文学观"、"家庭观"等等，数不胜数。中国人发明"观"之多可入《吉尼斯世界纪录》。好像人们必需有了正确的"观"才能活得更好或活得"有意义"，在《我的菩提树》一书中我就写过一个劳改犯说："这个'世界观'比'鬼门关'还难过"的话。因为后来我发现种种"观"实际上都是笼子，钻进去就很难飞出来，不是让你活得好而是叫你活得不自在。当然，这也可能就是一种"观"了。

闲言少叙，且看正文：

"张贤亮写性爱的首开先河之作《男人的一半是女人》中的男主人公章永磷，在赞美女性身形美的同时，却暴露出本质强烈的占有欲。女人的爱使其还原一个真正意义上的男人时，他感受到的不是相互创造的喜悦、美感，而是自己占有女人能力恢复的庆幸。他离开使他重新成为男人的女人，也仍是他占有欲的另一面的体现，因为这女人曾被别人占有过……自私的占有欲事实上是将女人沦为私有的玩赏工具，男人附属品的一种表现。"

文章还批评了苏童和贾平凹，也许他们能读懂。我不懂的是，这个"爱"和"占有欲"如何分得开？男人有这样自私的心理，女人难道就没有？诚然，现在正开着世界妇女大会，咱们别说出格的话冒犯女性，可是我想，要是问任何一位女性,你爱着某一位男士,想不想用某种形式"占有"他;当你发现你的丈夫和另一个女人发生性关系后,你有没有要离开他的念头?诚实的回答只能是肯定的。不是也有很多文学作品描写女人独自"占有"男人及与不忠实的丈夫离异的故事吗?倘若我们指责这种女人说:那你就太"自私"了! 你这是"将男人沦为私有的玩赏工具,把男人当成你的附属品的一种观念",我们男人至少会受到她的白眼。

那么什么是先进的"妇女观"呢"那只能是"君子好色而不淫",或是现在中国人通常说的"乱搞"、外国人说的"性开放"了。

是不是?弄不懂,弄不懂!

将人类本身不分性别的某些按道德评判来说是非善的属性,一律归结为男性固有的特点和一律归结为女性固有的特点一样,都是错误和不公正的。在现代还是以男性为主的社会(要不也不用开"世界妇女大会"了),提倡爱不必非"占有"不可,最好听之任之,无私奉献,拱手相让,只能是女性吃亏。

不知苏童平凹怎么想,我只能说我描写的就是"这一个"。不管是"先进"也好,"落后"也罢,那个(或这个)时代的男人女人就是"这个样"! 有什么办法呢? 总不能要求我们这个时代的作家去写未来世界的人物怎样在一个开放的大环境下做爱或恋爱吧。据说婚姻形式总有一天要消亡，人类社会将进步到"共妻共夫"也即"群婚"的真正自由状态；爱一个人完全不必"占有"他或她；必须正常地看待他或她跟另一个她或他发生性行为，还要无私地在一旁助兴。我想那种美好的社会还是留给后代作家去写吧。我只是真实地写出了我们这一代人就是这么一副"德行"，也许将来的读者看了会觉得我们真可笑、真落后（现在已有人觉得可笑和落后了）！然而，作品的价值大概也就在这里了吧。

同一期的另一篇是谈写知识分子，令我受宠若惊的是把我和张洁、杨绛相提并论。先说了张洁和杨绛老太太写的如何好又如何不足，笔锋一转写到我的足与不足：

"张贤亮《习惯死亡》对知识分子剥皮抽筋式的自我挖掘，不可谓不痛快，但其崇洋媚外的形式消弱了作品应有的力度。""这样（指张洁杨绛和我的作品）的文学作品若从自身的独特性看，无疑不乏大家风度，如果放置于大范围的艺术天地，则不免小家子气。"

我能让读者"痛快"已心满意足，不过我还是想弄明白，《习惯死亡》的形式怎么是"崇洋媚外"的呢？小说的形式有"崇洋媚外"之嫌怎讲？不错，《习惯死亡》一书用了一点我们通常说的"现代派"手法，可是如果认真去读，就可感觉到我并非刻意模仿，全书都是按主人公感情线和意识流程自然表述的,也只有这种手法才能达到使读者"痛快"的效果。好吧,我姑且就承认我是刻意模仿了"现代派",那又怎能说模仿外来形式就是"崇洋媚外"?再退一步说我姑且承认"崇洋",引进了外国小说形式,可是在我写书的时候总是打定主意给中国人看的吧,后来译成四种外文又不是出于我的跪求,怎能谈到"媚外"呢?现实中不是常见有些人只"崇洋"不"媚外"吗?并不是每一个穿"迷你裙"的中国姑娘都专为在外国人面前露大腿而穿,只不过她自己觉得"迷你裙"好看罢了。假如在以什么艺术形式来创作的问题上,有这么一条"崇洋媚外"的罪名,"五四"时代提倡写自由体诗的胡适、写《狂人日记》、《野草》的鲁迅等等不都要担此恶名?当今呢,美术界就要倒大霉,因为美术界目前引进的外国玩意儿最多。

不是我"小家子气",实在是这顶帽子太大,在"文革"时期是要判我们刑的,还是请评论家笔下留情为好。

骥才爱自由,更爱自由谈。他开办伊始我曾笑话他说《自由谈》有变成"不自由谈"的危险,现在看来我是错了。他真的很自由!

中国的杂志,我比较喜欢的是《读书》。从八十年代初到现在,我自费订的刊物就这一种。能找到有趣且有用的书看,是既费力又劳神的事,尤其在目前出版事业异常"繁荣"、评价文章广告化的时候,而《读书》真的给了我很多指点，常传给我很多新的知识和信息。有时，字里行间还有那么几个"犯禁"的字，发现了，莞尔一笑。哀而不伤，怨而不怒，无伤大雅，恰到好处；干什么都要有分寸，《读书》人善于把握，极为不易。时下许多刊物都辟出专栏登些"读者来信"，以表自己的刊物如何如何被读者喜欢，《读书》也不能免俗。但她刊登的"来信"中有许多封的品味却与其他刊物不同，并非捧场的话，多有惊人之语。听说《读者》编辑部只由几名女编辑组成，不由得我肃然起敬，借这个机会表示感谢，也表示我并不"落后"。

平时接到很多杂志来信约稿。唯有《读书》没给我来过信，弄得我有觉得可以高攀《读书》的稿子也不敢投寄，于是很羡慕王蒙、少功、张承志、林斤澜、刘心武诸位小说同行，以为他们才算真正登了大雅之堂。《读书》上也曾刊登过评价我的作品的文章，一般来说我向来对此毫不介意，只有在这上面发表的才仔细拜读，不管说好说坏，也颇为自得。

每期收到刊物，先看丁聪先生和陈四益先生的"诗画话"和"新百喻"，令人解颐，然后找王蒙的"欲读书结"。我不能说我都同意王蒙的看法，但常常是不谋而合，读了他的文章有"正合吾意"的"痛快"，此亦人生一乐事也！这就引起我自省，为什么他们的文章能上《读书》而我不能。想来想去，大约是因为我缺少一点儿书卷气吧。

小时慵懒顽皮，不读书也不求解。邓友梅从日本带回一本中国当代文学史，上面说我从小是个"不良少年"，很被他辱笑。不知日本人从哪儿弄到的情报，可是我的确难为自己辩解。大了后，果然成了劳改犯，再没机会求学问了。一直蹉跎至今，和王蒙一样，怀着个"欲读书结"而老没时间去解。他除了小说外还写了不少高质量的文章，而我大概只能写写小说，一写别的就露馅，原来肚里没有多少文墨。

现在正大谈特谈"人文精神的失落"，这也是我从王蒙的文章中才得知的。于是找了些杂志来读，想搞清楚什么是"人文精神"，以便知道自己丢了些什么，好赶快去拣回来，看来看去，竟发现我压根就没那玩意儿。活了近一个花甲子，自己没有，别人也从未用那种精神对待过我。如果"人文精神"真是学者们所界定的那些概念，那么我就可以说自我受中学教育起，就被灌输着种种"非人文精神"或"反人文精神"。不知道还好，一知道竟吓一跳，真是"人生读书忧患始"了。

所以我很赞同王蒙的意思，我们压根就没有过的东西怎能谈到失落呢？

这就是我不被《读书》看上眼的地方。学者们讲道理，总要引经据典，如我者之流，只能举个人的经验。我想，学者与非学者的分水岭，大约就在此处吧。

最近，《读书》还连续刊登了有关旧社会山西商号票号的文章，皆出于大家手笔，读了很受启发。我也想凑凑热闹，但又苦于搬不出"本本"来。而如果没有书本条条，学者们就会以为我是"野狐禅"。所以我首先声明，下面的话不过是我读了这些文章后的感想而已。

为什么我会有"感想"要凑热闹呢？一是我现在兼职搞商业，确切地说应该是"办实业"，和很多商人正打着交道，痛感到山西"乔家大院"中的乔老爷似的人物已经绝迹，无序状态和不遵守"游戏规则"给人带来数不尽的烦恼和给社会造成极大的危害，二是我亲身碰到过一个有趣的人，不知怎的使我联想到学者们谈的"人文精神"。我也弄不清怎么会产生这种联想的，写出来求教于学者们。

这又要说到劳改（没办法，这是我创作的源泉！）。还是1960年，我所在的劳改农场正大批接收犯人的时候，组里来了这么一个高级干部。刚进来时和所有新犯人一样，傻乎乎地，打饭也不知往前面抢，讲究"礼让三先"（不久也成了老油条，那是后话，不提。）。这人倒也文质彬彬，一起呆长了，和我蛮合得来，竟至于无话不谈。这样我才知道他为什么放着好好的办公室不坐折进这儿来的。

此公原籍山西，老家正是学者们现在感兴趣的太谷县。他十几岁时即参加革命，那时还是个学生，因为有一定的文化程度，为人又忠诚可靠，组织上就交给他一笔革命经费让他保管。当时通用现大洋，带在身上很不方便，他就存在如今我们才开始研究的那种称为票号的"银行"里。票号给他一本像手风琴似的能拉开合拢的折子作凭证。他说折子的模样他还有记忆，黄纸蓝皮红笺，只有巴掌那么大。刚存进去不久，组织就遭到破坏，太原那边传来紧急通知要他们赶快撤离，各自隐蔽。这一离开家乡，经历了国内革命战争和抗日战争，直到革命取得最后胜利，一晃过去了很多年。那笔存款，组织上也没有追问，渐渐他也淡忘了。折子也早不知丢到哪儿去了。1949 年家乡解放，1950 年，组织上恰恰派他去当自己家乡的县长（还是副县长？）。没多久，有个老头来县政府指名求见他。老头也是本地人，查身份是地主兼资本家。他自然要用对待敌人的态度来接见这个阶级敌人。可是老头并没向他提出什么要求，诉说什么冤枉，却盘问起他来：什么年代是不是在本县、那时用的是不是这个名字、是不是在一个叫什么字号的票号存过钱等等。老头显然满意他的回答后，求他跟着到一座祠堂后面的一棵树下去，说那里有笔钱正等着他去挖掘。出于好奇，也为了揭穿阶级敌人的阴谋。他还真跟着去了。一挖，果然挖出了一个陶罐，里面满满地装着二百多块现大洋。老头说，他就是这个票号的后代，老掌柜临死时交待，说他经手一辈子钱，没吞没过存户一分钱，可就这笔存款没人来领取，叫他死不瞑目。掌柜的弥留之际解放军来看是合格的党员,非把他打成"敌人",当他经过劳改的洗礼,思想真和他们背道而驰后,又给他平反,委以重任。我不知道这抽的是哪股筋!

有鲁迅的天才,这件小事可作为素材写成题为《一件小事》的小说的。但因为我前半生诸如此类的事经历和见闻得太多,不是《读书》上又把这类事炒起来,可能我会将它完全忘却。今天也想参与讨论这个题目,没有本本引用,才以这个现实事例来凑个热闹。

现在,还是回到"人文精神"上来。我以为,不论是从学者们界定的概念上说还是我自以为是的概念上说,两件小事都应是某种"人文精神"的极微小的体现:把本来好好的干部打成"敌人",折腾他一阵再让他回来当官是一种"人文精神"(在广义的"人文精神"概念中,罗马教廷也是一种"人文精神"),老头还钱,是另一种"人文精神"。我不明白的是现在学者们喊的是哪种"人文精神"失落了。我个人以为老头还钱好像是比资本主义的"人文精神"境界更高远的"人文精神,因为按西方国家的银行法和金融法,一个因政治因素而倒闭的银行可以不支付这笔没有凭证的存款(即使没有倒闭,没有存款凭证也取不出钱的)。问题是现在学者们讨论得正热乎的"失落"中,开出的挂失帐单里有没有它一份;如果有它一份,那么究竟它算是哪门子"人文精神";这种"人文精神"在建设社会主义市场经济时代是好还是不好，是要打倒它呢或是要把它找回来……我将这个问题留给学者。

　　这个老干部怎么会变的呢?当然不是动心于那二百多现大洋。结清这一笔存款的后面，其实隐含着一种巨大的"人文精神"的背景。只有"精神"才会刺激人和"教育"人，但"精神"毕竟是空的、虚的，必须体现在什么实实在在的东西上面，譬如二百现大洋之类，不然就"魂不附体"了。把自己说得天花乱坠，如何如何优越，不如把该还给人的钱还给人家，卖给人货真价实的东西。如果承认这点，那么我们就应该明白在市场经济中没有小事，营业员的一个笑脸可能会征服一个世界!

　　睡不着觉的时候，我常常想挨一颗"糖衣炮弹"。

　　这点絮语到此为止。要知后事如何，且听下回分解。

随风而去

现在当成经典电影的好莱坞影片《乱世佳人》，是根据一本中文译为《飘》的美国小说改编的。我也不去查那英文原名了，只说这部影片是我大约十岁时跟父母在重庆看的，在电影院，我父亲对母亲用英语说了它的原名，解释道："它的意思是'随风而去'。"不知为何，"随风而去"四个字从此深深印入我脑中，直至今天，直到将来，随我一生。

今年是我见我母亲最后一面的 30 周年。1968 年我第二次劳改释放到农场就业，世道很乱，也不知向谁请假，自己偷跑回北京看望母亲。母子俩相见泪洒衣襟，但还没互相叙述完离别十年中各自的遭遇感慨，没几天，说是西单商场发生了爆炸，我就被"小脚侦缉队"抓走，又押送回宁夏。第二年我母亲便在孤独中去世，尸骨无存。所以今年的清明节我按民间风俗备了些纸钱到我创办的华夏西部影视城的城墙上祭奠父母，因为华夏西部影视城展厅里有我母亲的照片。我虽不迷信，但可表达心意，也就是毛泽东说的，"村上的人死了，开个追悼会，寄托我们的哀思"的意思。

城墙上夜风强劲，人都站不稳，而燃烧的纸却不散，圆圆地聚成一堆。第二天，我又上去看，却只留下一团黑迹，灰烬已随风而去了。烧的时候，冥冥中我母亲仿佛对我有所告诫：到我这岁数，做人要成熟一点了。当时我心中就决定：关闭在华夏西部影视城大展厅里陈列我文学活动的所谓"张贤亮的世界"的小展厅。回来后，一夜未眠，反省自己从1979年复出，可以总结为八个字："成绩不小，毛病不少"，于是主动写了一份检查。恰恰第二天《中华英才》杂志的记者蒋先生来采访，我就将检查给他看，说你要写我最好写我的"毛病"。"自我检查"一词现在已很生疏了，尤其在没有任何外界压力的逼迫下，我这种行为可能很多人会认为"有病"。蒋先生倒很理解，说这些毛病其实是社会的流行病，未必为你一人所患。我说，到我这个年龄，到我这种已不再追求名利地位的份儿上，自己对自己严格一些何尝不可？人生在世，何必把是非分得那么清？我要张狂我便张狂，我要忏悔我便忏悔，张狂了再忏悔，忏悔了再张狂，一切随心所欲，最后，一切又都会随风而去。

成绩也好，毛病也罢，不都会随风而去吗？流芳百世，默默无闻,遗臭万年,碌碌无为,我的祖辈,我的父亲,我的母亲,我自己,我的子孙,所有不同种类的人同消失于风中。随手拿起张报纸,看到一则消息说,美国天文学家发现,火星和金星上好像曾有过生物,但现在什么都没有,只有风……

丫头·婆姨

《希望》杂志来电话"希望"我写一篇谈宁夏女人的文章,本来我手头有事,但男人谈起女人来总是有兴趣的,有说不完的话,似乎两千字还嫌少,因而"毅然"抽出一点时间满足《希望》的"希望"。

托极左路线统治的福庇,我有幸以"右派"身份劳改长达 22 年之久,进劳改队时年仅 21 岁。50 年代的年轻人对两性之间的事远不像今天年轻人这样内行,再加上那时我又是个书呆子,所以对异性很少注意。到了劳改队,才受到刑事犯的性启蒙教育,而在那种环境,真可谓"见了母猪赛貂婵",对女人根本谈不上什么审美标准。第一次注意到女人居然也有美丑之分,而且我们宁夏女人还不错,已经是 1981 年谢晋导演和老李准来银川要将我的小说《灵与肉》改编为电影《牧马人》的时候了。两位对女性特别有研究的贤淑，我很少见宁夏女人泼妇般骂大街的。至于丫头更是胆小害羞，如你不信，看看报纸，你在哪里看到过有把宁夏丫头拐卖了的消息？当然，这也有她们的劣势，宁夏丫头出外打工挣钱的也很少，也们普遍没有闯荡江湖的气魄。

如果从性感上要求，其实婆姨要比丫头耐看。我回忆，凡我见过的女性，漂亮的几乎全是少妇，即婆姨，宁夏也不例外。多数丫头，似乎缺乏点水分。宁夏人对女性的审美常以"水灵"为标准。"水灵"也是本地方言，这二字很传神的。旧小说里谈起女人常有所谓"眼睛一眨母鸡变鸭"的话，推测这"一眨"的意思大约就是丫头变成少妇了。给我寄来的《希望》杂志上美女如云，但全部出自大城市，令我颇有些不平。西北有句俗话："山沟沟里出凤凰"，我以为此话不虚。到今天为止，我见过两个令人心摇神移的陌生美女，一是在瑞典斯德哥尔摩的餐厅，一是在宁夏偏僻的盐池县一家脏得可疑的小吃店里。瑞典金发美女斯文秀气地在讲究的餐桌旁吃蔬菜沙拉，山沟里的黑发美女却烟熏火燎披头散发地在炉灶边掌勺。我对她注目很久，她肯定有少数民族血统，倘若非要我拿某知名人物作比、好让读者有个大概印象的话，她倒是很像演《希希公主》的著名法国女影星罗密·施罗德。上帝和有些吝啬鬼一样，总把最珍贵的东西藏在深山里。山沟沟的美女，可惜没有机缘挣扎出来，现在的封面女郎们，不过是有幸运的机缘罢了。在山沟沟的凤凰面前，我只好叹"时也命也运也"了。还有,《希望》上别的作家写到自己省的女性都能举出好些本地知名美人来叫读者羡慕，好像作者本人也可一近芳泽似的。而我所在的宁夏，也许我孤陋寡闻，我还真不知道出了什么引人瞩目的明星，让我无美女引以为豪，真有点自惭形秽。

这些话，女读者看来可能不堪入目。要请她们原谅，中国还是个男权社会，连改革开放走在前列的广东省的《希望》，也不能免俗，可见其它地方了。什么时候在我们杂志上能请女作家大谈特谈"靓男帅男"，而女作家也敢公开地直抒胸臆，品评所喜所恶，我们社会便进步了许多。

坦率地说，我还是个没有脱俗的男人，嘴里虽然高唱尊重女性，但聊起女人来总是以自我为中心的。

小说规律

"目前眼下到如今"，小说越写越长，类似这种句子。据统计近几年我国每年要出版600多部长篇小说，这个数字如还算不上"世界之最"，肯定也名列国际前茅。在浩如烟海的长篇著作面前，因我时间有限，有时想看一本最近出的好长篇，就请研究当代文学的学者介绍，学者却对我摇头，说他们只是为了研究而硬着头皮读，读作品是他们的业务，像售货员非站柜台不可，倘若作为普通读者想从中得到文学享受，不少长篇都会让人们"不忍卒读"。较好的仍然是人们常提的那几本，我已读过。现在也有叫得响的，但那与歌星影星的"出道"相同，要靠"炒"，据说"炒作"已经成了小说艺术的一部分。我以为这话有点刻薄，"炒作"实从"操作"而来，而"操作"是商品经济不可少的一个环节。既然精神产品已经成为商品进入文化市场，小说书当然需要一定的商业性操作才能推销出去，这是无可非议的，并且，需要"炒"的长篇小说未必不好，正如好商品也需做广告一样。

有次我在书市上问书商哪种小说好卖，几位书商都说还是短篇集子买得快一点，要么就是古典名著。问起几位我认为不错的作家写的长篇，书商不说写得如何，只着眼于"炒"的力度；加方框是一种"炒"，打官司也是一种"炒"，各有巧妙。将这问题请教学者，学者也不着重从文学上分析，兴趣在于围绕这位作家写的那部长篇所产生的文坛风波。而"目前眼下到如今"，文坛有如江湖，有所谓"文坛风波恶"之说。但在书商看来，风波中正面反面的文章，其实异曲同工，全是广告，无所谓是非对错。在书市上，学者批评家的由衷之言全然消失，在法庭上，被告原告双方都能出名，不管怎样判，都成了"炒作"或"操作"。我有些惶然，又求教于学者，有的学者竟坦率地告诉我，哪篇文章是出于"情面难却"，哪篇文章又是出于"意气用事"。果然，书商的话不无道理。

从学者和书商处都得不到有关当代长篇小说的确切指点，闲暇时只能随手抓起哪本看哪本了。平心而论，我看到的长篇并没有恶劣到"不忍卒读"的地步。有的构思还是很精巧的，如果耐心看下去，故事还蛮吸引人。然而凡我接触到的当代大多数长篇巨著，我个人觉得普遍有个毛病，就是太浪费。用我这个既是文学爱好者又是企业家的话说，是"投入多产出少"，"投入产出比"很低。我想不通为什么作者要花那么多笔墨将一个句子拉长，绕那么大的圈子说一个故事，有的长篇甚至连故事也不完整；写出几十万字，笔划连起来可从地球到月球，而传达的信息量极少，结构类似散文却缺乏散文文体的美感。好几位编辑告诉我，现在不少作家修改小说初稿时不是使其更为精炼，而是在拉扯上下功夫，让他拿回去改的稿子越改越长，因作者在文字上"扯皮"，使得编辑与作者之间也"扯皮"起来，令我叹服汉语"扯皮"一词之形象。在作者方说是语言的浪费，在出版方说是纸张的浪费，在读者方说是时间的浪费。而读者即文学商品的消费者勿须读这种精神食粮也能生活，在快节奏、高效能、信息多元化的时代，文化消费已经"快餐化"了，厚厚的一本书在外观上就让人头疼，于是又造成大量长篇小说书的积压，要靠"炒"才能卖得出去，周而复始，长篇小说的生产营销步入一个怪圈。

在社会经济方面，我们正在消除过去重复建设、盲目上项目所造成的弊病，而在文学创作活动上仿佛又重蹈覆辙。一年 600 多部长篇小说，堪称优秀的却凤毛麟角。并不是中国缺少有才华的作家，而是很多有才华的作家浪费了自己的才华。因为社会"导向"如此，把每年出版多少多少"长篇巨制"列为文艺主管部门的成绩，有关领导像提倡八股文一样提倡长篇小说，作家自然而然觉得写得长才能表现自己的本领，长，成了一个竞争领域，不"扯皮"如何得了。不信?君不见，国家级的小说奖本身就给人一种长、中、短小说是三个等级的印象，荣誉最高的、奖金最多的奖为长篇小说奖，获得长篇小说奖的作家好像就"高人一等"。近几年都号称为长篇小说的"繁荣年"，可是同时又在大喊"文学的滑坡"，这看起来很矛盾，其实并不矛盾，"繁荣"指的是在学者专家内部圈子里，"滑坡"指的是在整个社会面上。也就是说，被学者专家所称道传颂的长篇小说未必有多少读者，当代长篇小说与所有当代文学作品一起，在人们的阅读生活中占的份额越来越少，尤其是长篇，很大部分成了"滞销货"。

在这种情况下，我以为《文学报》纪念 1000 期的时候将在他们报纸发表的较好的短篇小说结集出版，是个好主意。我大致浏览了一下选出的短篇，先不谈内容，看看作者阵容就有许多名家，里面不少还是写长篇的高手。请他们在报纸上发表小说，他们首先就必须服从篇幅的限制。在有限的范围内才显出真本领。在谈文学的场合，我多次强调在所有的文学形式中，短篇小说是最难写的；除各式小说外，我也写过诗，写过散文，写过评论，写过电影剧本，我想我有资格来做番比较，我觉得短篇小说在某种程度上，往往比诗还难写，这可说是我发表短篇小说较少的一个原因。为报纸写短篇小说,不仅是一个显真本事的机会,更是一个锻炼写作的绝妙手段。众所周知,至今我们仍然认为是中国现代文学极品的"五四"之后的小说,几乎没有一篇不是先发表在当时的报纸上的。不止是报纸编辑,主要是在报纸这种有限制的形式中,培养锻炼出了一代又一代小说高人。今天如果把我们奉为经典的许多外国近代名著列成一个目录,在小说类,我们会看到,短篇小说或以写短篇为主的作家仍居多数,这说明小说的质量并不在长短上计较。

在这本集子中,不少名作家的短篇小说其实也可"扯皮"到长篇至少是中篇小说的长度,譬如赵玫的《偿还》,张欣的《一生何求》,程乃珊的《爱的扶手》,叶辛的《重婚犯》,梁晓声的《一只风筝的一生》,赵长天的《寻找玛丽亚》等篇。这几位作家还真不乏往长里写的本领,然而他(她)压缩了文字,我才觉得可算作精品。曾读过一篇文章记述汪曾祺老怎样写题为《徒》的小说,汪老本是这样开头的:"世界上曾经有过很多歌,都已经消失了。"后来汪老出去溜了一趟,回到书桌旁改成了"很多歌消失了",仅仅十六个字的短句又删了一半。汪老说:"我牺牲了一些文字,赢得的是文体的峻洁。"同一篇文章还说,一位诗人"开玩笑说,诗好就好在'省字'。"我以为这不止是"峻洁",也不是"开玩笑",实质上就是语言的艺术。艺术和经济有相通之处,都讲究以最少的投入达到最大的效果。我当然不知道以上几位作家写那些短篇的过程，但我可想像得出，他（她）写这种字数有限制的短篇小说的时候一定比写篇小说在"省字"上花费了更多精力。这个"省"，是很费推敲的。

投入的文字数量少，投入的脑力必然多，满筐满萝地往稿纸上像倾倒垃圾一样倾倒文字，可说简直不需花什么力气，凡会写字者皆会堆彻，怪不得"目前眼下到如今"，作家不叫作家而称为"码字儿的"。堆积如山的垃圾仍是垃圾，即使里面真有精粹得不得了的灵性，今天的读者哪有功夫去披沙沥金，看起来投入极大，实际上影响微乎其微。

世界的进步与技术的发展使我们日用的"精品"都有越来越小的趋势，电脑从一幢大楼那样的庞然大物变成可摊在手掌中操作的小不点儿，也已经出现了戴在手腕上的电视机，最新的技术是被称为"纳米技术"的微观技术。人类要么把物品做得越来越小、轻、薄，要么在同等体积中纳入更多的内容，在当今世界，只有中国的小说反其道而行之。在技术影响和决定一切的时代，我认为不管作家本人对长篇小说这种文学形式如何留恋，长篇小说势必会没落。凡在历史中产生的都会在历史中自然消亡或转变为其它形式的存在。电视连续剧目前正在冲击长篇小说，将来必然会有一种什么新的通过视听设备获得审美享受的艺

出卖"荒凉"

　　1992 年小平同志"南方讲话"发表后，市场经济建设在中国掀起高潮，潮流推动着文化人纷纷"下海"。我不是一个轻易被时尚所动的人，只是对专业作家制度一直有自己的看法，认为文学创作与学术研究不同，作家应该多读社会这部大书，而专业作家制度突出了文学创作的技能性，将文学创作当做一种特殊的职业，从而无形中使文学的生命脱离了它依赖的土壤。许多有才华的作家在这种类似"铁饭碗"的写与不写都一样的"优越"制度中逐渐丧失灵气及敏锐的艺术感觉，不幸地变成"写家"、"坐家"、"爬格子的"、"码字儿的"或是从此辍笔。在编制上，我虽然是一名所谓的"专业作家"，但我总在寻找一种与现实生活能紧密联系的结合点。当市场经济已经成了中国社会中最"热火朝天"的生活，在紧锣密鼓的"大办第三产业"、"寻找第二职业"中，我"下海"也就成了必然。1993年很多报纸都发表了我"下海"的消息，一时间，我似乎成了中国文化人进军市场经济的尖兵。那么现在我的情况又如何呢？我想有不少人会对这问题感兴趣。

应该说，五年来我初步的成功可以证明，文化人投身于市场经济对个人和社会都能相得益彰。"下海"，不同于一般所说的"作家深入生活"，市场经济就成了文化人本身的生活，而市场经济绝对是一种动态的、立体的、变数极大的、具有挑战性的、发展迅速而又纷纭复杂的现实，不仅会给作家多方面的感受，并且会激发人的生命力和竞争心。"学以致用"一向是中国士人的传统，学问"用"在市场经济中，士人的所学所知会得到充分的发挥，并有举一反三之效。另方面，中国市场经济建设也非常需要有较高文化修养和素质的人参与，缺少这样的人，中国便无法进入知识经济。问题仅在于个体的文化人怎样在广阔的市场中找到适合自己学养的"摊位"；要善于利用自身拥有的文化知识煅造出准确的市场眼光。如果找到了，那么智慧立即就能变成商品，转化为财富，创造出高附加值的产品贡献给社会。

现在在海内外已有一定知名度的宁夏华夏西部影视城，即拍摄了近40部著名电影电视剧、通常称为"镇北堡西部影城"、"银川西部影视城"，是我近五年来创作的一部大作品。今天她已经成了宁夏一处引人的名胜，位于银川市西郊 36 公里，而且至今还没有开辟公交线路，每年的游客仍达 15 万人次，凡到宁夏视察的中央领导人，也多半去参观过，是宁夏的一个旅游重点。其实，当初那里不过是一片荒凉，两座废墟，就是我在长篇小说《绿化树》中所描写过的"镇南堡"。1961 年，我刚从劳改队释放，曾到我就业的南梁农场南边 30 公里的镇北堡来赶集，小说里的主人翁狡猾地用黄萝卜换老乡的土豆一幕就发生在这古堡的废墟中。那时，我就发现这两座废墟颓而不丧，衰而不败，突兀地耸立在荒漠中间，仿佛是黄土地内在生命力的迸发，给我一种悲壮的、怆凉的、既哀伤又雄浑的视觉美感。在古堡集市的邮政代办所，我还看到一份久违了的报纸，上面登着银川市的电影院在上演苏联电影《红帆》。当时，能在电影院看一场电影，我真不敢向往，但还"允许"我想像这两座古堡是一处非常适合拍电影的外景地。这点，我也写进了小说《绿化树》。三十几年前我去赶集，是镇北堡改变命运的开始。

党的十一届三中全会后我获得平反，1981 年，谢晋先生要将我的短篇小说《灵与肉》搬上银幕，老李准改编为《牧马人》。谢晋和李准带领摄制组来到宁夏，我就把镇北堡介绍给了谢晋导演。与谢晋前后来的还有第五代导演张军钊率领的《一个和八个》摄制组，我也让文联当时的办公室主任把他们领到镇北堡取景。《一个和八个》的摄影师是张艺谋,四年后,他仍难忘镇北堡,眼光独到地在这里拍摄了他一举成名的《红高粱》。从此,偏僻荒原上的这两座被人抛弃的废墟很快热闹起来。到1992年底,在这两座废墟拍的电影电视竟有十几部之多。恰值此时发表了小平同志的"南方讲话",拥有镇北堡土地使用权的宁夏林草试验场的场长从带动一方经济出发,就产生了在这里成立一个接待摄制组的影视城的想法,而且请人设计了沙盘。我还是偶然在地方电视新闻上看到这一条消息,立即激发出我的灵感。我意识到创办影视城是最适合我"下海"的起跳台,我马上与林草试验场场长联系,承担起这一工作,在宁夏银川两级党和政府的支持下,完全按照我的意图创立了华夏西部影视城公司。

我早就认识到,企业由"国营",便效率低下,搞不好就成为"胡子工程""钓鱼工程"。那时还没有"产权明晰"一说,我就决定公司主体要有一定的资本金。原计划完全由自治区政府投入,需几千万元之巨,与国内其它影视城一样,新造一个以西夏建筑为主的建筑群落出来。这在财政紧张的宁夏是不可能有的,在看不到效益的情况下,政府也不会贸然行事。我就孤注一掷拿出自己的外汇存单做了抵押贷款,以文联下属的艺海公司名义作为最主要的股东,林草试验场又投入一部份现金,再募集少量的外资、法

人股和民间股,用混合型股份制形式以最低的开办费筹建
"镇北堡西部影城"。我提这点是非常重要的,因为如果拿
国家或银行的钱经商,便不算真正"下海";没有个人资本
金的企业领导者不过是企业管理干部,不能算作企业家。
市场经济的活力在于它内部的利益驱动机制,企业办得好
坏与个人利益无关,市场经济的活力不仅不能充分发挥,
还不可避免地会产生出种种浪费甚至腐败。1993年下半
年,国家又出台了机关单位与"三产"脱钩的决定,宁夏文
联突然与创办不久,还不见一分钱效益的"实体"在人、财、
物上脱离了关系,只留下我一人负担所有债务。我一不小
心掉进了非公有制经济,几乎全部家当押在企业上,如果
企业破产,我多年笔耕所得的一点国外译本的版税就付诸
东流,那些外汇可是我的"血汗钱"。坦率地说,这才是我
"下海"能取得初步成功的最重要因素,情势逼迫我不得不
把主要精力放在华夏西部影视城公司的营建上。

　　情急生智。我从来没有接触过商业运作,仅凭在劳改
队通读过二十几遍《资本论》,有一些市场经济知识,就赤
膊上阵了。首先,我必须非常准确地估量华夏西部影视城
的"市场定位"。镇北堡在完全没有什么西夏建筑群的时
候,到来的电影电视摄制组就络绎不绝,那又何必要造一
个"西夏城"?况且,西夏建筑是什么式样,历史资料一无所
有,专家学者也茫然不知,即使花钱造出来,也会弄得四不

像。"经济"二字的意思是：以最小的代价换取最大的效益。于是我决定保持曾给我与其他到过镇北堡的电影艺术家以震撼的镇北堡自身的视觉美感，只营造一个适合拍摄电影电视的外景氛围，用最优良的软件服务来接待摄制组。凡来此拍摄电影电视的剧组，我一律优惠，并允许他们随意搭制布景，只要求留下一些场景和少许服装道具剧照供我向游客展示。这样，到镇北堡西部影城来拍电影电视的反而更多了。这种滚动式发展，形象地说，就是只放一池清水，让别人来投鱼，他们拍了鱼的照片走了，留下鱼让我给游客观赏，游客给我付观赏费，我的任务仅仅是把鱼喂养好。于是，西部影城内的景点和可观性也就越来越多，越来越强，她的前景也无可估量。

实际上，镇北堡之所以吸引人，就在于她的荒凉与悲壮的雄浑。如著名艺术家冯骥才说的，"对荒凉的欣赏需要一种极高的文化品味"，所以，如谢晋、张艺谋、陈凯歌、滕文骥、黄建新、冯小宁等大陆几代天才的艺术家及港台很多电影电视著名导演才对镇北堡情有独钟。毁坏了镇北堡原貌无异于"杀风景"。我又看到，目前中国所有的影视城都可说是"专题影视城"，像"唐城""宋城""三国城""水浒城""东周列国城"等等，都是聘请仿古建筑专家修造的宫廷或街市建筑，看起来堂皇，却有极大的制约性。仿古建筑师不懂电影电视特殊的视觉形象的要求，隔行如隔山，而镇北堡西部影城所有的建筑都是电影美工师专为拍摄电影电视精心设计的。也许这里的一座座建筑不太符合建筑学原理,不符合历史真实,却能够多角度、多方位的利用来拍摄影视片。在一个场景中稍稍移动一下摄影机,就能像万花筒似的在银幕上展现出全然不同的画面。镇北堡西部影城适用于从古到今的民间场景,制约性比其它影视城小得多。

　　譬如电影《红高粱》中那座高耸在破墙上的"月亮门",曾在影片中反复出现, 可见张艺谋对它非常欣赏, "月亮门"旁边插着"十八里红"的酒幌子,的确会让观众产生一种莫名的美感, 如今它几乎成了一个经典电影画面, 那么"月亮门"没有残破前究竟是个什么门呢? 它既不是城门,也不是房门,更不是窑洞门,其实它什么都不是,就是一个银幕的优美视觉造型。这种造型是仿古建筑师想像不出来的。还有台湾电视连续剧《新龙门客栈》中的"龙门客栈",整个一层大厅没有窗户,二层的窗户小的像碉堡的一排枪眼,这种房屋根本不适于住家,别说开客栈了,然而正是这种造型突出了剧情需要的神密性与诡谲性,难怪《新龙门客栈》片头片尾反复出现它的身影。电影《五魁》中的"土匪楼"也如此, 前面一条"护城河", 房屋的一楼仍然没有窗户, 既像楼房又像碉堡,这才显露出剧情需要的怪异气氛。还有一处破破烂烂的"豆腐房",竟连续被四部电影电视导演选中，进入镜头。诸如此类的建筑物，在镇北堡西部影城中比比皆是，电影艺术家到了这里，马上会激发出灵感，香港导演刘镇伟原来只准备来拍一部电影的，在镇北堡西部影城内却随时产生出许多构想，他没有新搭制一个布景，就将一本名为《大话西游》的电影剧本拍出了两部电影——《月光宝盒》和《大圣取亲》。游客一进入西部影城，就立即有一种登上舞台，仿佛脱离了现实世界，置身于自己所熟悉的幻觉的神奇感。镇北堡西部影城不愧号称"中国最独特的影视城"。

除了美工师的创作，更有 500 岁高龄的古老的土城堡。中国古代的"覆土建筑"与中亚其它地区不同的是，用来筑墙的黄土上夯前都要蒸一遍，有所谓"蒸土筑城"之说，黄土与砂砾的混合也有一定比例，这样筑起的土墙才坚硬如石，而在风雨无情的侵蚀下，墙体上由自然力冲剧刻画出的累累疤痕裂璺，有如岩石上的鬼斧神工，这又是任何一位美工师制作不出的。每一寸墙体都饱含着黄土地的原汁原味，充满原始的生命力，游客倘徉其中，都会感受到一种苍劲的鼓舞。如果看过影片《双旗镇刀客》的观众，即使没来过镇北堡西部影城也会体会到这点。在电影电视拍摄的利用价值上，用港台影视明星的话说，到镇北堡西部影城拍古装片、西部片，最容易进入角色，演员们好像进了"时光隧道"，真正到了剧情规定的那种年代和情景，于是表演起来就分外投入，这样，整部影片也就获得成功了。难怪在镇北堡西部影城拍摄的电影电视多半得过这种或那种奖项。

一位日本记者到西部影城参观后，回去写了一篇报导，标题是《张贤亮出卖荒凉》，我觉这说法很好，拿过来成了我的口号。刘晓庆来宁夏演出的时候，到我的西部影城一看，这位见多识广的明星大为感动，提出来不要一分钱给我拍部专题电视片，片名就叫《荒凉无价》，在香港卫视中文台连续播放了三个月。吴邦国副总理来视察时，我向他介绍说："我认为在市场经济社会，每一个地方只有推出具有自己特色的商品才能在国内外市场上占一席之地。我分析宁夏除了有它的主要资源，还有一个别地方没有的旅游资源，这就是荒凉。我这里出卖的就是荒凉。"吴副总理听了哈哈大笑，连声说好。其实，别的省市比镇北堡更荒凉的地方有的是。出卖荒凉，一定要有精致的文化艺术做为包装。上面说的那些景物，它们的审美价值与历史价值必须有人去将它们发掘出来告诉游客。西部影城全部导游词约五万字都出自我的手笔，这体现出了作家办企业的无可比拟的优势。

在中国市场经济的初建阶段，从业人员素质都很低，能干的不老实，老实的不能干，稍有点成绩马上翘尾巴"跳槽"，这是每一个企业家头疼的事。我不招聘什么专业人士，干脆在最基层选拔，总经理是原来的导游员，两个副总经理一个是合同工，一个是小车司机，通过我两年手把手的的教导，现在不但胜任愉快，独当一面，而且忠诚踏实可靠。导游员多数是我在农村或市郊招聘的，开始时，我必须从基本礼貌用语教起，亲自带领他们到西安、北京旅游，打开他们的眼界，让他们感受著名旅游景点的软件服务，现场学习如何讲解。平时，我聘请了一位一级研究员、一位副教授每周给全体工作人员讲一次文化课和礼貌礼仪、经济管理课。镇北堡西部影城的职工教育可说在宁夏所有企业中比较好的，同时我又特别强调纪律，高奖严惩。我明确地告诉每个工作人员，你们是国家的主人，但不是企业的主人，企业的法人代表是我，我就是主人，进了我的大门，在工作时间请放弃个人自由，绝对听从我指示，做不到这点，立即"炒鱿鱼"！我决心要把计划经济多年来形成的懒散习惯扭转过来，并将企业的发展建立在职工素质的提高上。我说，"出卖荒凉"的根本意义是"出卖感觉"，游客出来旅游，就是要享受一种愉快的感觉，哪一个工作人员给游客的感觉不好，也马上解聘！所以，凡到过西部影城的游客，都对这里的服务留下良好印象。影城开业五年，从来没有被消费者投诉过，展厅的留言簿上却写下了许多美好的赞扬和祝词。

在乱建鬼神迷信的文化景观泛滥成灾的时候，我坚持我的镇北堡西部影城以建设精神文明为宗旨。影城大门前的广告牌——"中国人在任何条件下都能创造轰动世界的奇迹"，表达出中华民族的自豪感。做为旅游景点，我强调的是娱乐性、观赏性、休闲性与知识性并重，在满足游客的好奇心的同时让游客得到一些拍摄电影电视的幕后常识。在西部影城展厅的影壁上，我书写的横幅是"坚持梦想，争取辉煌"，西部影城给游客展示了今日散射光芒的影星们，是通过一段怎样艰辛的道路才取得成就的，从而使每一位游客来后都会有些心得。

"名人效应"做广告也许有用，名人办企业必须投入自己的心血。通过我的努力，1996年华夏西部影视城就摆脱了负债经营的状态，还清了银行贷款，走上了盈利经营的良性轨道。在这里拍摄的每部影片，我要求他在片尾打出感谢单位，这样，也提高了宁夏和银川的知名度，取得良好的社会效益。今天，在银川市一提起"镇北堡影城"，已可说妇孺皆知。华夏西部影视城公司的无形资产，要数十倍地高于有形资产，不少人说，如果华夏西部影视城的股票上市，会成为宁夏股票市场上的抢手货。

篇幅的限制不允许我多谈，这里好像说的都是成就，而其中的辛苦真可说"三九饮冰水，点滴在心头"。可是这正是一个作家在市场经济中应该获得的感受。这五年，我也没有耽误创作，发表了长篇小说《我的菩提树》，中篇小说《无法苏醒》，短篇小说《普贤寺》和长篇文学性政论《小说中国》及一些散文杂文，计六十万字。《我的菩提树》已译成英、法、德、希伯来、土尔其等文字。《我的菩提树》与《小说中国》两部书在中国都有一定影响。我想，即使是做为一名"专业作家"，平均一年发表十多万字，也算是"完成任务"了吧。将来，我肯定会运用我在市场经济中获得的切身感受写出一本较为深刻地反映当代中国社会的文学作品。

我并没有感觉到老的来临，我觉得我现在还很年轻。

"世纪转换之交"也许会是另一番心境，能用旁观者的身份来看西方人在"世纪末"的热闹了。连计算机的"千年虫"问题也与中国无关，还有什么其它可麻烦咱们中国人的？一个"公元"，并没有使中国人的生活方式生活水准与西方人等同，也没有在观念形态上与西方人同一，却仅仅在历法上统一了起来，因而中国人此时此刻才生出这么多西方式的兴奋和忧虑。空间仍然分割着，一日中不同的时区仍然存在，文化传统依旧保持（中国人还顽固地把农历春节当做主要节日，世界伊斯兰教徒也以伊历节日为主），绝大多数中国人包括执政党都不信仰天主和耶稣，时间序号却与信仰天主耶稣的西方人合为一体，仔细想来，这个"公元"不有点悖理、不有点不"公"吗？

但事已如此。回顾历史和观察现实的每时每处，有心人都会发现数不清的无奈。"尴尬人偏做尴尬事"，说的何止是《红楼梦》中的赵姨娘，只要是人，不论多伟大，都不免做出许多尴尬事来，至于人类群体则更尴尬万端了。于是，在这个被普遍认同的"世纪末"，先是一个早已死去的法国人诺查丹玛斯搞得人惶惶不安，再有个活着的日本人跑来用科学凑趣，证明1999年8月的某一天有十字连星的天象出现，到时"恐怖大王"就会君临天空，人类的绝大多数（包括中国人）即将灭绝。大约是为了抵制这种恐怖的预言，给中国人"鼓劲"和"激励"，不久前有报刊宣称在1995

年于古丝绸之路的塔克拉玛干沙漠腹地"尼雅"遗址中发掘出一件锦囊,上面赫然地绣着"五星出东方利中国"八个隶书汉字,并配有清晰可见的照片。在封建时代,这可是一个了不起的"祥瑞",上奏皇帝立即能升官晋爵的。可惜明眼人一看便知,即使真有这件锦囊,虽然"中国"这个词早在《诗经》上就出现了。但在汉代仅指帝王所在地长安,我们现在意义上的"中国",还是晚到19世纪中叶与西方各国开始有了交往后才确定下来的。2000年前的人就能预知"大汉"以后会称为"中国"并且国旗上有"五星",真匪夷所思!又有人称:西历2000年正是中国的龙年,千年之首逢龙年三千年才轮上一次,真像一首歌中唱的"千年等一回"了,这是多么大吉大利呀!未来不说三千年,至少有一千年将是龙的世界,而我们中国人又是"龙的传人",也就是说将来的天下将是我们中国人的天下。关于"未来的世界是中国的世界",在日本的池田大作和英国的汤因比的学术性对话中有过探讨,以后中国一些学者又不断添油加醋,中国领导人虽然主张建设一个多极化的世界,学者们却似乎更希望将来是中国化的或"东方文明"的世界,搞得中国人既晕呼又乐观:尽管中国人目前面临的问题堆积如山,但前景是光明而广阔的;有人说中国人言必称祖宗,现在中国人又多了一条:言必称未来。

在这个"世纪末",还有从过去1000年和100年的世态比附今日推测将来的。前 1000 年，即公元 999 年，在宋朝是咸平二年，在辽朝是统和十七年，在大理则是广明十四年。拿我们习惯的正统的宋朝来说，咸平二年在宋辽处于敌对状态的多事之秋还算平安，既无战乱可记也乏善可陈，因而商业渐渐发达了起来，就是著名的《清明上河图》描绘的情景。可是 100 年前的 1899 年却热闹了，那正是戊戌变法失败之后，政治改革全面受挫，旧势力彻底胜利，即将到来的是八国联军和庚子赔款，处于"黑云压城城欲摧"的危机时刻。但是，从目前形势来看，前 1000 年和前 100 年与现代比附都不恰当，没有类似之处。时移事迁，真正是"换了人间"了。

所以，我以为在这所谓的"世纪之交"，中国人还是抱着佛家提倡的以"平常心"对待为好，还是老百姓常说的那句话："日子该怎么过还怎么过"。"东方文明"有没有什么特殊优点且不论，在令人保持良好心态方面的确比"西方文明"具有更大的稳定作用。佛经传说释迦牟尼说法时常会"天花乱坠"，这个成语演变到后来竟成了贬义词，不过我仍认为它属于中性适当。如今有关 21 世纪的种种预测，从科学昌明经济发达宇宙变化生态恶劣物种消亡教育普及直到爱情婚姻家庭的演变以至于由于"伟哥"的发明而会重新调整两性关系等等等等说法（眺望），我以为都有"天花乱坠"之嫌，对我们怎样妥善处理眼前事务并没有多大帮助。

　　在西方，在诺查丹玛斯之前几百年，还有个叫查尔斯·索尔兹伯理的写了一本题为《末日》的预言书，说公元999年12月31日午夜世界将会毁灭。弄得那天夜里整个基督教世界疯狂迷乱，鬼哭狼嚎，歇斯底里症席卷欧洲，许多人因恐惧而自杀。因为"西方文明"是建立在"原罪"基础上的，人人天生有罪，都逃不脱上帝的最后审判，诺查丹玛斯等人的修言就由此而来。公元2000年以后，人类安然渡过了诺查丹玛斯预言的劫难，"西方文明"肯定还会制造出类似的预言。东方文明却讲究人的修炼，个人的修行决定个人的果报，群体的修行决定群体的果报；"三千大千世界"即宇宙空间是无限的，其存在时间也无限久远，人类怎么来的又将向何处去，这类问题佛都说"不可说"。富有中国民间特有的玄学色彩的预言《推背图》和《烧饼歌》，"推"到最后也没有终极的毁灭性结果。总之，不管是儒是佛是道是术，东方文明中从来没有"世界末日"一说。这种观念极为聪明达观；东方文明的核心既是"听天由命"又是"人定胜天"的。抱着这种宇宙观，如果人生态度积极的话，保证会无往而不胜。所以，我们中国人大可不必跟着西方人瞎起哄，还是将眼前的改革做为当务之急进行研究为好。预测得再美妙，"到处莺歌燕舞"，做不到或不去做也白搭，预测得暗淡无光大难临头，但如果能不断自我调整、自我改善，将目前进行的改革大业坚持并深化下去，中国必然真正会以一个大国的姿态屹立于全世界，在多极化的世界中成为最重要的一极。因而我想，与其让人"眺望"未来，不如邀请人提出可行的改革方案。改革，关乎到每个中国人及其后代的生活命运，不止是中央和地方领导集体的事业，有道是"愚者千虑必有一得"，人人都从他（她）自己的角度出发"虑"一下，也会集思广益的。

二

　　对未来，也许我过于乐观。我的乐观来自对人类的信任。我是相信人类自身拥有解决每一个时代所面临的问题的能力和潜力的，一直对上述"世界末日"及其它种种危言持怀疑态度。即使在当代，二战后，从 20 世纪 60 年代开始，西方许多学者也曾不断告诫人们大难将至。1960 年，著名英国哲学家罗素在伦敦特拉法加广场大声疾呼：如果西方国家不单方面裁军，数月之内会爆发核子大战；1965

年，"派道克兄弟会"预测，到 1975 年，地球上一大部分人口将死于饥荒；美国颇具影响的《生活》(LIFF) 杂志在 1970 年告诉广大读者，10 年以后即 1980 年，城市居民可能需要戴防毒面具，以防空气污染，到 1985 年，穿透云层、照耀地球的太阳光将减少一半；更有著名的"罗马俱乐部"从 70 年代开始就不断对世人发出警告……所有这一切，至少到今天为止，人类的生存环境尽管日益恶化，但还没有看到任何一个预言成为不可逆转的现实。虽然事实证明中国目前已经用占世界 7% 的耕地养活了占世界 22% 的人口，但 1995 年美国学者布朗仍坚持他的论调："到下一个世纪世界将不能养活中国人"。当然，我们不能把这种种忧患都看做谬论，更不应当做恶意的诽谤。人类社会须要"盛世危言"。好听的话令人鼓舞，难听的话使人警惕。

　　所以，我本人并不乐意作种种"眺望"，参与"天花乱坠"的行列。可是既然出了这么一个"眺望"的题目，我又不好推却，我只能说，今天来"眺望 21 世纪"，实际上包涵许多希望的成份。对未来的"眺望"与其说是理论的思考或是占有大量数据的科学推论，不如说是主观想像估计的成份更多，至少就一个作家来说是这样。不过也值得一读：因为眺望者的主观中已经含有个人的理性常识，他是从他立足的全部知识出发放眼未来的，所以，"眺望"实际上是作者对目前社会状况的了解与评估；此时此刻、也只有此时此刻才是明天的历史条件，才是历史发展的必然性的基础。

同时，我认为，眺望未来世界和理解我们现在生存于其中的现实世界一样，思想，也许比"理论"更为重要。我们现在不缺乏"理论"，我们更需要有悟性的思想。

恰恰在"本世纪末"的 1997 年 12 月我出版了一本书，名曰《小说中国》。所谓"小说"，并非小说散文诗歌等文学体材类的"小说"，而是针对市场上一些书名冠诸"大策划""大预测""大展望""大趋势"等等之"大"反其道而言之的。在那本书里，我仅从个人的体验、经验和在劳改年月里学到的一点马克思主义的历史观出发，对中国的过去和现状表达了个人的看法，"小说"一番，"虑"了一下。在书中我就一再强调它只是一部个性化的文本，仅仅是一个源于生活的个人视点，我个人认为它的内容有一点"悟性的思想"。如果是关心现实生活的读者照作者即我个人的"市场定位"来读这本书，也许可以得到一些在一般社会理论著作中得不到的启发。

书出版后，没有搞什么商业炒作，在短时期内就悄悄地销售了近十万册。但倘若将这本书当作社会理论著作来看，这本书当然不完全符合"理论"的要求了。《文汇读书周报》上有一篇题为《小说家的社会理论著作》的署名评论就很典型。文章说：

"新时期文学产生了大量的作家和文学理论家，结果最先跨出文学领域去写社会的倒是小说家。产生这种现象不难理解，小说家用太多的时间去关心现实生活，而批评家则用太多的时间去关注那不断虚构的世界；小说家用虚构的世界去回应、拥抱或反对现实世界，而批评家则在虚构的世界中游泳、挣扎而难以达到彼岸。何况，我们的文学在那个时候还有着历史客观原因所造成的失重与偏颇。从这点上说，我十分敬重张贤亮和梁晓声继续热心关注生活和重新热爱理性的精神。但是，问题往往在于优点和缺点的生死与共，长处与短处的唇齿相依。文体转变了，写作性质转变了，还继续以一副小说家的口吻，继续地放纵小说家的叙述方式，一如既往是灵感和即兴表演，话语上的演讲才华，思想的跳跃和过分急切的总结，还有那些不应该有的随笔性的议论，前后不相联贯的散文段落，重大议论之后的却是小说家对生活的印象。比如，你要议论'重新建立个人所有制'、'呼唤精神贵族'、'给资本主义平反'、'劳者有其资'等重大问题，都不是随便讲讲身边琐事，个人经历和苦难，甚至出国访问的小插曲所能了事的。是的，面对一大堆大策略、大趋势、大预测，张贤亮自称为'小说'，可是从他那蜻蜓点水式的海阔天空，也实实在在称得是一部

'大说'。"

批评者没有恶意,问题在于批评者的误读。首先,将我的书指认成"小说家的社会理论著作"就把那本书挪了位置,从"当代文学"柜搬到了"社会理论"柜,这虽然不像把《钢铁是怎样炼成的》归于"科普读物"那样荒唐,但也错之毫厘差之千里。我不知梁晓声是什么意思,也许他以毛泽东曾用过的书名《中国社会各阶层的分析》来命名自己的书是想将他的书挤进"社会理论"队伍。而我仍然坚持申明我写的只是一本文学性政论随笔。尽管批评者说"不应该有的随笔性的议论",但我不知道谁有权制止我"不应该有",为何"不应该有"?17、18 世纪欧洲的启蒙运动思想家们几乎都用"随笔性议论"写文章,直到现代,如詹姆斯·鲍德温、如让—保罗·萨特、如乔治·澳威尔的一些书,也常常以散文随笔形式阐述社会、哲学与经济观点。用看惯了"理论"的眼睛读他们的书,可能也会感到那书里也有"海阔天空"和"蜻蜓点水"的味道。可是,历史证明每一个时代产生的新的思想及某种想法,开始时都只像火花似地闪烁出星星点点的光芒。苛责它们没有强大的理论支撑,没有成套的体系,无异于企图将其扼杀。

我曾在那本书中多次强调,一个小说家,也许比一个社会理论家更能吸收来自现实生活而不止是来自书本的启示。《小说中国》一书,不过是我作为当代中国的一名小说家面对急需改革的现实产生的敏感和激情的直接表述，用随笔性的议论比用理论的推导更便于表达出我的思考，并且也比理论性文章有更大的自由度和可读性。

我所以不厌其烦地唠叨上面那些话，正是以一个作家的视点奉命写"21世纪大眺望"。我觉得这次编者的编辑方法很好。好就好在让职业身份不同的人同写一个大题目，这样，整本书的内容也就自然而然分门别类了，免得人误读，又将作家的话语当成理论家的话语。而"眺望"未来，又是一个"理论"会显得苍白无力的领域，于是，每一位作者的"眺望"，当然也就只能代表他或她自己的视角。

现在，请允许我抄录《小说中国》一书的最后一章。《小说中国》共分十章，前九章谈的都是中国的过去和现状，计20万字。最后的第十章谈未来是最短的部份，仅1000余字，这也表现了我不太喜欢空谈未来。

社会进步是一项巨大的综合性的系统工程。经济基础的变革决定上层建筑的变革。中国目前允许多种经济成份共同发展，仅是变化着的社会经济基础的一个层面，更大的更具决定性的层面在所有制形式的变革上。因而，在国民经济中占主体和主导地位的公有制实现形式的变革，才是牵动上层建筑变革的最主要的因素。"重建个人所有制"后，"每个人的自由发展是一切人的自由发展的条件"这种观念才有可能被全社会所重视，进而为创造这种劳动者共同劳动的"联合体"做好思想准备。

"个人自由",再也不会是一个令人望而生畏的词,将成为人们日常生活中不可或缺的一种状态。

公有制实现形式的变革,将会给中国带来一系列的变化。不仅仅体现在经济生活方面,中国人将像犹太人那样,在世界市场经济中最富创造性、最有竞争力,最拥有智慧的头脑,并且还像腰缠丰盈的购物者进入超级市场,进入上下五千年的传统文化和现代西方文化的文化市场,在货物架上任意选择自己需要和适合自己口味、品味的文化果实,有多种精神食粮营养强壮的中国人将创造出完全属于自己的新的文化。

政治与学术相结合,官员与学者相结合,将是中国政界的一大特点,中国传统政治留下的这份宝贵的遗产将得到更大发扬。"不分阶层,不分出身,不分财产,在人民中间挑选优秀人物"(马克思语)来充当各级政府的官员,选举也就会比今天的选举更接近"巴黎公社"式的选举,每位官员都要真正代表一定的民意,在公共领域接受公民监督,让人"剪不断理还乱"的官员腐败现象将成为极稀罕的事件,今天令我们发指的贪污受贿腐败,后人谈论起来会是一种历史笑话。

21世纪的中国不但会是世界上的经济大国,也将是一个文化大国。中国曾是世界上的文明古国,由整个人类社会的命运所决定,中国必将再度成为世界上具有领导地位的文明国家,世界将以中国的标准为"现代"的标准。

以上,就是我对"21世纪的眺望"。

三

但是,中国的进步,始终不能回避政治体制改革这件大事。我的乐观是不是真能"乐"起来,很大程度决定于中国的政治体制改革是否能顺利进行。为了更清晰地"眺望",请允许我先从一则新闻说起。1998年7月20日《报刊文摘》转载了《现代经济报》7月11日的报道,标题是《中国社科院辟谣:承担设计政改方案是捕风捉影》。全文如下:

"中国社会科学院新闻发言人近日指出,该院没有承担设计中国政治体制改革方案的任务。他说,近期有些海外媒体称中央已向社科院下达了该项任务,具体方案正由研究人员制订,这完全是捕风捉影。

这位发言人称，目前，有一项跟民主法制建设有关的课题的确正在进行之中，院里正在组织专家撰写专著，但这是一本学术性、知识性的读物，跟'政改方案'并不相干。他说，一段时期以来，社科院有不少学者在研究中国社会主义民主和法制问题，在新近确定的98个院重点管理的课题中，也有这方面的内容。但这仅仅是学术和理论上的探讨。

他透露，作为中国最高哲学社会科学研究部门，社科院今后还将继续进行有关社会主义市场经济下民主和法制建设的研究，这项工作，已得到中央的支持。

我不知道这则辟谣有什么更深的背景，是否海外媒体传播"中国的政改方案正由中国社科院研究制订"背后有什么不可告人的用心。如果没有更深的背景，我看不出这个"谣"对我国有什么不利和恶意。中国的政治体制改革在80年代初期即由邓小平同志提到改革的日程上来了，中国准备、并且正在进行政治体制改革完全不是什么秘密。按正常推理，政治体制改革这件大事当然应该有一个、甚至好多个初步方案。谁来制订初步方案，提交给党和国家领导人研究、参考、修正、定夺，再交付全国人民代表大会讨论比较合适呢？从一般程序讲，前期的准备工作只有专家学者才能胜任，也是政改方面的专家学者责无旁贷的责任，同时，也体现出领导决策的科学化。所以，海外媒体这

青春期

210

个"谣传"似乎反映了对专家学者的"众望所归"。尽管现在"该院没有承担设计中国政治体制改革方案的任务",而对国家民族命运自觉负有责任的专家学者主动向领导人"请缨"也是正常的。请问,除了这批专家学者,还有谁最有资格拿出一套套符合规范的建议?然而正相反,在推行政治体制改革的大背景中,当人们以为他们正在履行他们的职责的时候,他们却赶紧站出来大摇其头,郑重声明"仅仅是学术和理论上的探讨"。有识之士难免感觉到其中不是怕负责任就是有几分尴尬。幸亏辟谣中提到"社科院有不少学者在研究中国社会主义民主和法制问题","社科院今后还将继续进行有关社会主义市场经济下民主和法制建设的研究,这项工作,已得到中央的支持。"不然,这则辟谣的消息反而会引起人们对中国是否真正要进行政治体制改革产生怀疑。

古今中外以天下为己任的学者无不热衷自己生活于其中的国家政治改革,或是从推动的方面或是从反动的方面纷纷提出过这样那样的方案。远的不说,近代的"康梁变法"是一例,孙中山先生青年时期的《与李鸿章书》其实也是一部政改方案。倘若将那些历史资料通统收辑成书,今天我们读来当然会发现有许多很不成熟、很可笑、很悖谬的见解,但后人不能不承认创意者的勇气、热情和责任感。他们好像从不怕"犯错误"。可是,当代社会科学尤其是

211

研究政治的专家学者似乎失去了学者应有的勇气。这是可以理解的。我们在这方面的理论家经过 1949 年以来历次思想整肃运动，早已变成了政策法令的诠释者，他们的任务仅仅是从学理学术上证明党和国家领导人发布的政策命令语录的正确性，从来不敢有自己的创见。即使在诠释上也战战兢兢地害怕越雷池一步，害怕揣摩错了领导人的意图，因而竟常有宁可不及不可过之的现象：诠释的文章比正式发布的政策法令及领导人发表的讲话还保守。

实际上，中国现实的政治状况已随近 20 年来的经济体制改革有了很大变化。有些是自觉改革的结果，有些还是不自觉地因经济发展而带来的副效应。20 世纪末中国的社会政治气氛不仅不同于 70 年代末及 80 年代的中国，甚至与 90 年代初也很不相同。因为农村的联产承包制使广大农民又恢复了相对独立的小生产者身份，因为公有制经济开始实行多种实现形式，因为私有制经济的比重在整个国民经济中所占的份量越来越大，因为思想言论出版的限制逐渐宽松而悄然形成了文化多元化格局，因为公民在择业、迁居、宗教信仰等等方面已享有较大的自由度，最根本的是因为在从计划经济向市场经济的社会大转型过程中，社会不可避免地分化、改组、解体、聚合，逐渐形成新的阶级阶层，经济个体化和经济利益的调整，必然唤起人们在政治上的主见和自主性要求。

最近，农村在村一级基层政权单位普遍实行的"海选"，确实是一个值得乐观的信号。中国的民主政治体制改革，也会有一个"农村包围城市"的渐进过程，这大概是21世纪初中国社会的一件大事。但在目前，人民群众普遍已具有的初步个人民主意识，在主流社会思想方面并没有得到应有的提升。上述社科院的"辟谣"可作为一个例子。负有引导群众的社科界思想界，在主观上还缺乏积极参与政治体制改革的强烈要求。而究其主要原因，我认为还是20世纪70年代末以"实践是检验真理的唯一标准"为主题的思想解放运动并没有彻底完成。如果要我来展望未来，我想：在21世纪初期，中国思想界大约还会回到20世纪70年代末的思想解放运动上，将那次伟大的运动继续推进和深化。

也是"世纪末"的1998年，刚好是改革开放二十周年，这一年在全国范围内展开了一次改革开放二十年来伟大成就的宣传。应该肯定，这次声势浩大的宣传活动取得了一定效果，相当多的人民群众重温了改革开放二十年来我们经历的风风雨雨，让群众比较广泛地对二十年来中国的成就有了进一步了解。但是，由于这次宣传纪念活动的纵向对比大都局限在70年代末至90年代末这20年间的变化，没有更向前纵深到50年代中期，以各种宣传形式让人民群众尤其是年轻人更多更深地了解早在1978年以前，中国人生活在怎样专制、荒诞、贫困、用剥夺人的基本生存权的方式来实现工业化，致使1960年所谓"自然灾害"期间饿死的人数超过一次战争；对"文革"的疯狂造成"万户萧疏鬼唱歌"的悲惨局面，揭示的力度也远远不够；一些回忆文章多半以"所幸噩梦一般的历史，早已翻过去好多页"这种不堪回首的口气一语结束；在"世纪末大量"回眸"的文章中，对"反右"和"文革"也语焉不详，极少人去探究、去"回眸"为什么中国陷入"噩梦"的深层原因。所以，改革开放二十周年的宣传纪念活动，热闹一阵也就过去了，没有使人们对当前大大改善了的生活倍加珍惜，没有给人们留下难以磨灭的深刻印象而进一步促使人们转变观念，没有最大限度地激励起人们自觉投入改革大潮。因为人们毕竟更加关心个人眼前的生活，而摆在眼前的却是有切肤之感的下岗分流、就业住房、社会治安、贪污腐败、环境破坏、收费负担、土地承包期限、国有企业困难、子女升学费用、医药社会保险、假冒伪劣商品、金融危机对中国贸易的影响等等麻烦。中国二十年的巨大变化，并不能冲淡个人对自己小家庭眼前现实生活的忡忡忧心。尤其享受惯了所谓"社会主义优越性"的城市人，因分配住房、分配职业及医疗养老直至粮价肉价交通理发洗澡等等方面的补贴的改革，无不触动他们的既得利益，尽管"既得利益"水平很低、很不可靠、很不合理，但有国家做后台，官员当父母，总能令人心安。可是现在国家要将企业推向市场，也意味着城市人今后主要需靠自己，虽然这扩大了城市人择业的自由，是各自发展个人的良好机遇，但同时也分离了国家与个人之间过去那种"衣食父母"的关系。他们中的很大一部分，怎能心悦诚服地不考虑个人得失，只因 20 年来国家有了巨大变化就兴高采烈呢？

举个不很恰当的"范例"：极左路线统治时期，有个继承解放战争中行之有效的很特殊的思想宣传教育手段，就是"忆苦思甜"。极左路线擅长将什么事情都推向极端。"忆苦思甜"推向极端就变成愚民政策一个障眼的法宝，弄得当时挣扎在水深火热里的中国人晕晕忽忽，竟以为自己生活在世界上最幸福的国家，离"共产主义天堂"已经不远，衣穿不上饭吃不饱还要去"解放世界上三分之二的劳苦大众"。今天，中国再不是一个封闭的国家，各种媒体包括因特网已使大多数中国人对外部世界有相当地熟悉和了解，我们如果仅仅偏重宣传今天的成就，老百姓自然而然会和外部世界作"横向对比"。而横向对比起来，中国今天的情形仍不容乐观；我们在改革开放中"创建"的几乎所有的新办法、新政策、新举措，大到金融股票科研机制的改革，小到城市垃圾的处理办法等等等等，都没有超出西方发达国家在几十年前早就走过的路子，我们还是落后西方发达国家若干年。若不追究辛辛苦苦赶了 20 年我们仍然落后的历史原因，这 20 年来的成绩在老百姓心目中就不会鲜明突出。极端化的"忆苦思甜"能令生活在地狱里的饿鬼以为生活在天堂，而回避向远处"忆苦思甜"，"不作更深的纵向对比，又会使生活在正常社会里的人以为生活在地狱，不免"端起碗吃肉放下碗骂娘"。

如果不彻底充分地揭示和清算从 50 年代中期开始中国那段悲惨的历史，就不能让人民群众清醒地认识今天改革开放的必要性和正确性。对历史回顾的模糊肯定会造成对现实观察的模糊。对中国在历史上走过的弯路，对主要领导人犯的错误，我们的文化思想界却采取"为尊者讳为亲诸讳"的态度，不深入追究主要领导者的责任及造成领导者犯错误的制度性根源，竟强行"摊派"给全民族，似乎每个中国人人人有份，成了整个中华民族的"集体负担"，是整个民族的"劣根性"所致，仿佛二战中犹太人的被屠杀也有犹太人本身的毛病，南京大屠杀也有南京市民的责任似的。

我们为何要改革开放？就因为前人留下一个沉重破烂的江山和一堆荒谬的观念，直到今天我们还在替前人收拾烂摊子。改革开放后出现的所有不良现象，都与往日那段同世界隔绝的非正常历史有关，如同乘波音 747 半天之内飞到西方国家一时倒不过"时差"而头晕脑胀，产生种种不适应症状一样。但因我们文化思想界导引的偏离，现在人们却普遍认为今天碰到的一切困难都是实行改革开放带来的后果。这不能怪群众，只能说我们的宣传理论界还缺乏面对历史的勇气。

我们在宣传邓小平同志的建设具有中国特色的社会主义理论及小平同志开创的"第二次革命"与毛泽东思想、毛泽东时代的关系上，侧重的是二者的前后继承关系，而没有特别强调后者的开创性和革命性。这样，不仅第三代中共领导人与第一代中共领导人在人民群众心目中比较起来黯然失色，连和第一代中共领导有交叉关系的第二代中共领导也似乎远不如第一代高大。由于上面所举的种种现实阴暗面时时处处牵动人民群众切身的感受，由于离现实越远的人物会越显得神密和神圣，于是社会上反倒出了这样的"民心"：国家比过去富强了，老百姓的生活水平与自由程度与过去相比也有天壤之别，而中共领导人却仿佛像鲁迅小说《风波》中九斤老太太说的"一代不如一代"。在意识形态的继承发展上没有和前人决然地划清历史界线，后继者就不得不永远受这种"委屈"。我写这篇文章的时候，正值清代康雍乾三个君主风靡电视银屏而为人们所熟悉，我们要"比附"的话很可这样"比附"一番：清代的开创者是努尔哈赤，第一个君主是顺治（爱新觉罗福临），倘若清代也像我们现在在观念意识上采取的这种总是推崇前人、强调继承关系、把"先王灵牌"摆在第一位的做法，康熙雍正乾隆三位君主尽管政绩斐然，也很难在历史上立定脚跟、脱颖而出；历史的评价就会将他们的政绩通统归于开创者和第一位君主带根本性的"指导"作用，努尔哈赤和顺治的阴影将笼罩清朝所有的君主。

如果不舍得割断那条连接先人的脐带，后代领导人不但很难成为能与第一代领导人并肩的伟人，甚至很难成为独立的政治家思想家。

我的意思绝不是提倡再搞新的"个人崇拜"。"个人崇拜"给中国造成的伤害，至今还没有将它的账算清，并且，今天的人民群众除了对娱乐体育界人士还会稍加崇拜青睐之外，其它人物尤其是政界人物再不会被他们所迷信。然而，就因为我们舍不得扬弃历史上的某些东西，我们今天的主流社会话语和我们今天的主流社会实践，在广大群众脑海中就有种二者分离的印象；主流的"言"与主流的"行"，是不统一的、甚至是背道而驰的，像一句西方民谚："说的是伦敦，写的却是巴黎"。这种社会观念意识的氛围，比错误的观念意识本身更有害，它使整个社会弥漫着一种虚伪矫情的空气："有的话能说不能做，有的事能做不能说"。而且越是社会稍有不安的时候越不得不强调"正统"的继承关系，回到先人那里去躲避。

我以为目前这种缺乏明智的宣传教育不会长期继续下去，至少在下世纪初，随着即将成为历史人物的回忆录的发表，随着一些档案文件的解密，对毛泽东和毛泽东时代的历史评价，将会在中共十一届六中全会决议的基础上有进一步的疏理、清理，从而更加清晰。

现在，中国人在生活上摆脱了旧日的阴影，但陈旧的观念意识的阴影在许多方面仍四处徘徊。其原因无非是旧账没有得到彻底的清算。

不愿认错、不愿清算旧账的不止是日本人，中国人何尝不是如此。小平同志号召我们"向前看"，那是在拨乱反正、准备改革开放初期，那时不"向前看"便什么事情也办不了。改革开放发展到一定时候，尤其在需调动全体人民群众一同来攻坚的阶段，回顾和清算历史将是非常必要的，也是不容回避的。

中国明天的政治体制改革，势必唤起新一轮的思想解放运动。

四

要"眺望"21世纪初中国的经济前景，必须先看看本世纪末的今天我们的经济现状。继邓小平开创了有中国特色的社会主义市场经济后,中共第三代领导人在"十五大"上做出的这样两个决策,将更彻底地改变中国面貌:

一、提倡多种经济成份共同发展、共同繁荣。可以预见,非公有制经济即私有制经济必将在中国经济中起重大作用,在国民生产总值中占越来越大的份额。而在生产力进一步提高以后,私有制经济的社会性、即私人占有的社会化也将越来越明显。这对今后中国社会的性质将有决定性的影响;

二、公有制经济实现形式的多样化。随着"抓大放小"与股份合作制经济的推行和发展,中国工人当中将有很大一部分人从无产者变为资产者,也就是变为具有双重身份的劳动者。经过时间的推移,单纯依靠出卖劳动力生活的古典式工人的数量将大大减少。"无产阶级革命"的目的决不是永远保留自己无产阶级的社会地位,不是永远要保留"一穷二白",而是要使这个阶级"消亡",在一定形式上变为社会财产拥有者,用简单的话说即"劳者有其资";"公有"二字,必须要得到真正的体现。如果中国能够坚持不懈地贯彻公有制经济实现形式的多样化,就预示了马克思所说的共产主义公有制实际上是"重建个人所有制"成为可能。我们把今天定位在"社会主义初级阶段",那么,什么时候才算这个"初级阶段"的结束呢?那就在全部公有制经济完成了"重建个人所有制"之日。

一面是私有制日益社会化，一面是公有制日益表现为劳动者个人占有，与此同时，今天资本主义社会中的社会主义成分也将更加增长。整个世界有一种"两相凑合"的趋势，于是，中国将会很容易地融入国际社会。更重要的是，"社会主义"这一历史的和理论的概念也将有很大变化。下个世纪初我们的后人理解的"社会主义"概念，将与我们这代人有很大不同。我们的后代人会觉得今天我们的官员学者在推行改革的文章和讲话中，经常要以"决不会影响我国的社会主义性质"等话语为改革辩护是可笑的，觉得我们今天不断辨论什么"姓资姓社"的问题是可笑的。

中国今天距离发达富裕还差得远。我们现在经常自豪地说（前面我也这样说过）：中国以占世界 7% 的耕地养活了占世界 1/5 的人口。但由于体制、观念和所有制的原因，中国的年国民总产值只占世界年生产总值的 2%。占世界人口 1/5 的中国人每年只生产出世界新生财富的 5% 都不到，这实在令人难堪，有愧为一个伟大的民族，然而中国也同时面临一个良好的历史机遇，这就是全世界知识经济的来临。知识经济要求一个能充分发挥个人头脑、智慧、创造能力的社会机制，没有这种社会机制就谈不到什么知识经济，只能永远落后。市场经济在本质上是一种个体化经济，是知识经济的基础。而中国人又是一个善于创造、善于经营、心灵手巧善于制作的民族，生产资料一旦与生产者在经济上直接结合：耕者有其田，劳者有其资，再不像现在这样名为"全民所有"却所有权代表虚置的状态，让每个劳动者都可直接参与市场，那么，蕴藏在中国劳动者脑内体内的智慧及生产积极性则立即会迸发出来。到 21 世纪初，如果"十五大"所制定的上述政策能顺利地推行，全民所有制多种实现形式能基本定型，成为一种内涵多样的社会经济模式，私有制经济能相当活跃，私有财产的不可侵犯性被宪法及各有关法律给以明确肯定，也就是说，各种经济成份的企业在政治和法律上真正一律平等，通统给予国民待遇，而不是像现在这样，非公有制企业似乎是"二等公民"，那么，中国的社会生产力则会有一个"一天等于二十年"的飞跃发展。

可是，任何人瞻望未来都会有变数。最高级的电脑"深蓝"虽然能和人在国际象棋盘前对弈，预测出将会走的数百步从而战胜人，但中国的前景、所有国家的前景、世界的前景，都是人脑电脑都不可预测的。我在我的政论性随笔《小说中国》最后的结尾说了一段话，现在再将它移植过来作这篇文章的结尾：

　　然而人类社会终究还是人类社会，它仍然既是天堂又是地狱。

我们的后人看我们这一代人仍然像我们看前人一样，既可敬可钦可美，又可悲可笑可鄙。我不知如何得以从人世间超度，最后，只能用马克思在《哥达纲领批判》中最后一句话作为这本书的最后一句话：

"我已经说了，我已经拯救了自己的灵魂！"

青春期

我与《朔方》

　　《朔方》早期叫《宁夏文艺》，一九五七年我被打成"右派分子"时还没有出刊，记得在一九六一年我从西湖农场释放到南梁农场就业后才偶然发现，在什么地方见到的已忘却了。首先吸引我注意的是登载有诗歌，五十年代我曾是一个小有名气的诗人，虽然经过劳动改造，仍积习难改，于是便动了念头，在农场单身汉集体住的土坯房趁大家都熟睡了，在油灯下胡诌了一首诗给《朔方》寄去，题目好像叫《在废墟旁唱的歌》，笔名为"张贤良"。不久居然接到了稿费，一十二元，那时我作为农工的一级工资每月仅十八元，可见十二块钱在我眼里多么值钱，又恰逢冬天要添棉衣的时候。其实我已毫无闲情怡趣写诗作词，但为了可观的额外收入就继续胡诌，这大概可说是"功夫在诗外"的另一种解释。第二首诗也很快发表了，稿酬竟有十八元之多，与我一个月拼死拼活劳动的工资相当。然而在我准备以更大的积极性和更多的业余时间投入诗歌生产的时候，《宁夏文艺》编辑部却发现了我的身份，大约是因为我胡诌得好吧，他们想吸收我当什么创造员通讯员之类的编外人员而向农场发函调查，才知道"张贤良"就是一九五七年曾有过"轰动效应"的张贤亮，经过三年多劳改还没有"摘帽"，我终于"露出狐狸尾巴"。从此《宁夏文艺》与我断然断绝关系，农场政治处把我叫去狠狠收拾了一顿，命令我只许老老实实改造，不许乱说乱动。"露出了狐狸尾巴"这话就是政治处干事非常得意地对我的训词，摆出一付天下事他无所不知无所不晓的样子。

党的十一届三中全会后，我没有立即获得平反，因为在一九六三年我又添了顶"反革命分子"帽子，成了个"双料货"。听说王蒙、邓友梅、李国文甚至邵燕祥这些家伙都平反了，觉得自己的罪过并没有他们大，颇为不平，于是想方设法找对策寻出路，想来想去只有继续写诗以引起领导注意。当时的目的仅仅是平了反可调到农场子弟学校当个教员，了此残生。可是写来写去发现诗不好写，因为时代不同了，内心开始有了自我表现的冲动，再胡诌连自己都看不下去，这样才改弦更张写起小说来。

第一篇小说《四封信》是《宁夏文艺》发表的，接二连三，我在《宁夏文艺》连中三元，都是发表在头条位置。这果然引起当时任自治区党委副书记的陈冰同志的关注，陈冰同志患有哮喘，还曾特地爬上四层楼来看我，他的秘书跟在后面，就是现在任自治区副主席的马锡广同志，在他的过问下，我才获得彻底平反。

除陈冰同志，我还应感谢当时在《宁夏文艺》任编辑的路福增、高奋、杨仁山、李唯、潘自强等人，是他们从大堆来稿中把我的作品挑选了出来，并破格地让一个还没有平反的"右派"兼"反革命"的作品连续三期排在头条。在后来将我从农场调进宁夏文联上班，是当时的宁夏文联主席石天同志主持的，具体操办的是陈葆泉。

记得第一次到宁夏文联也就是《宁夏文艺》编辑部开我的作品研讨会，文联在一个电影机械修配厂楼上办公，黑黝黝的走廊臭烘烘的，一间间办公室跟洞穴似的乱七八糟，长期在野外劳动和拉屎撒尿的我很不习惯，在田野上哪有尿骚味？对这些编辑作家诗人能在这样狭窄污浊的环境中构思精美的文章颇为佩服。会议室其实是乒乓球室，大家围着乒乓球台正儿八经地对我评头论足，因为长期脱离文艺界，评论家们说的话我多半不甚了了，只记得肖川的发言，他说他五十年代就读过我的诗，今天能看到我重新执笔他表示衷心的祝贺，令我很感动。

调到宁夏文联不久，我就成为宁夏第一个专业作家，并很快被选为宁夏文联副主席兼宁夏作协副主席，继而晋升为主席。那时我有一篇小说叫《四十三次快车》，题目就暗含着要加快步伐赶上去的意思。在文联有发言权之后，《宁夏文艺》要改名，我主张改成《西部文学》，杨仁山、李唯、潘自强几个年轻人都同意，但我去了一趟北京回来，却改成了《朔方》，再改也来不及了。《朔方》就《朔方》吧，可是直到今天我仍然以为还是《西部文学》好听，《朔方》像个地理学或历史学方面的刊物。后来，众所周知，"西部文学"这一刊名被西北另一自治区的文学刊物登记了去。不过在纯文学失去轰动效应的今天，《西部文学》大既与《朔方》一样也不太景气，可见名字是没有什么关系的。

我觉得《朔方》与全国其他兄弟省市的文学刊物相比，还可算中流偏上，它保持了一贯的严谨作风，在作品的挑选上对艺术性和思想性把关很严格，至少我没有在《朔方》上发现不入眼之作。相反，宁夏许多青年文学爱好者都是通过《朔方》走向全国的，尤其是回族青年作家。可见《朔方》在发现及推荐文学人才上仍一如既往，不遗余力，而且还能见效，仅凭这点，《朔方》就功不可没。同时，在商品经济大潮中，《朔方》并没有失去文人应有的风骨，搞有偿的吹捧文章。但也偶然有"失足"的时候，那就是几年前曾委托别人去办了个什么类似"学习班"的东西，结果并没有得到什么便宜，反而惹了一身臊，还连累到我这个名誉主编经常收到文学爱好者的告状信，要讨个"说法"。而在我看来，《朔方》的编辑家们宁肯在不熟悉的领域冒险，也不愿望亵渎在他们看来是非常神圣的文学事业，为了能弥补经费的不足，才出此下策。换一个角度看，这何尝不是这些编辑家们的天真可爱之处呢？

纵观全国，中国就这么一个省级回族文学刊物，一九九九年以来，自治区领导和文联领导加大了对《朔方》的支持，我相信《塑方》会不辜负自治区领导和广大读者尤其是回族文学爱好者的期望，办得更加有声有色。

最后，我还想为《朔方》的编辑家说一点公道话。《朔方》就像文学爱好者的阶梯，当文学爱好者成为"作者"又晋升为"作家"之后，似乎比较上乘的稿件就往全国性的文学刊物投寄而不再给《朔方》了。培养作家的编辑这时反过来倒要求曾被培养的作家"赐稿"。其实《朔方》的编辑家们人人都能写出漂亮的文章，如果不是长年累月为他人作嫁衣裳的话，他们哪个不能成为作家？《朔方》编辑部跟我在一层楼上办公，在走廊上来来回回，有时看见他们伏案改稿的辛苦模样，常不由得生出一些同情和尊敬。我还能有这点同情和尊敬，大概是我"天良"尚未"泯灭"的表现。但尽管尚未"天良泯灭"，写出的长稿或较满意的稿子，仍给了大刊物。为什么会如此呢？我想，这大约是一个普遍规律，《朔方》的编辑家和所有的编辑家处在这种普遍规律下，只能永远为他人作嫁衣裳，这是编辑的无奈和悲哀，也是编辑们值得尊敬和伟大之处。

青春期

心安即福地

　　1955 年 7 月我从北京以支宁移民的身份，携老母弱妹来宁夏，至今已有 43 年了。当时刚刚年满 18 岁，还没有形成固定的生活习惯，也就无所谓适应不适应。田间阡陌替换了都市平坦的柏油马路，赤脚板走在上面，一种与土地的肌肤之亲油然而生。黄河的波涛和被波涛冲刷下的大块泥土訇然作响，与岸边的风组成的和声，会使一个有诗人气质的年轻人感动得落泪。年轻多么好，面前的世界总是新鲜的，像刚摆进商店橱窗的蛋糕。远远的山坡上经常扬起龙卷风，孤傲挺拔，间或还有一两只鹰在高高的风柱周围盘旋。风居然也有影子，像一把巨尺投射在山峦上，一寸寸地丈量着那条被称作贺兰山的山脉。山上没有树，坦率得惊人，然而移民坎坷的路上却开满淡紫色的马莲花，迎风摇曳，景色诱人。还有一种类似地衣的芦苇，俗名"趴地虎"，长着荆棘般尖利的小叶子，不动声色地匍匐在无边无际的荒原上，使人有一种前途叵测的感觉。后来，这块土地和生活在这块土地上的人们命运果然艰难曲折。1958年9月23号成立宁夏回族自治区的时候，中国已经经历过了"反右运动"，知识和知识分子被大规模地摧残了一遍；整个中国都在"大跃进"，但违反经济规律的狂热势必造成的恶果已露端倪，物资供应非常紧张。而提高劳动生产率的办法好像只有延长劳动时间，于是凡能劳动的人都必须夜以继日地钉在工作岗位上。美丽的青春和美丽的大自然都被险恶的命运与政治玷污了。庆祝自治区成立的那晚，银川市市区放起了焰火，我在40里外的劳改农场饿着肚子割稻，遥望五彩缤纷的天空，心中好像打翻了五味瓶一般，是悲是喜，不知是何滋味。

　　现在回想起来，我感到奇特的是，我和国家的命运是那么紧密相连，仿佛一片永远飘荡在河中间的落叶，从来都没有被浪头推到岸边停顿下来。活下来的每一个当时"打击的对象"，实际上都是事件的见证，这是另一种意义上的"树欲静而风不止"，一次次地，历史的行程总违反个人希望过安宁生活的意愿，强行地在我身上刻划下一块块疤痕。1976年后，伤痛稍稍平复，转年冬天，一个寒冷的清晨，农场广播的大喇叭突然传出给农村地富份子"摘帽"的决定。我不禁披衣而起，坐在冰凉的土炕上把握中国那条微弱的命脉，发觉它已有些暖意。接着，又开始给右派份子"改正"，给大批冤假错案平反，坚冰解冻，令人振奋的十一届三中全会终于召开，小平同志领导的"第二次革命"从此掀开了中国历史新的篇章。今天，仅仅过去了20年，中国才可说真正起了翻天复地的变化。

宁夏，至少是银川，是我近半个世纪与她共命运的地方。我和这块土地一起经历了一系列历史过程，每一条大街小巷当年残破的模样都在我脑海中留下磨损不掉的印迹，我个人的历史不可剥离地附着有它一部份历史。譬如，70年代初，农场领导批准我进一趟城，我就得乘6路公共汽车来回，从银川"老城"回农场的票价是4角5，在"新城"乘车则为3角5，每次我回农场都为了省1角钱而步行15公里到"新城"上车，肩上还扛着沉重的麻袋。那年月人们喜欢用铝制的平底锅烙玉米面饼子，锅不是卖的，要拾些破铜烂铁到银川去换，这苦差使交给我这个"份子"最合适不过，这也是批准我进城的条件。我去城里时扛着一大堆破铜烂铁，回农场时背着一口口铝锅。锋利的锅沿割破麻袋，割破我的衬衣，割破我的背。这条去"新城"15公里的碎石路上不止洒有我的汗水，还有我点点血迹。一次进城，错过了回农场的公共汽车，到旅店租一铺炕要5角钱，嫌贵，更重要的是没有证明，只能流落银川街头。这晚，我在解放东西街徘徊了几遍，夜幕降临，沿街低矮的土坯房里各家各户的灯光——燃亮。每一扇报纸糊的窗户透出的黄色灯光都散射着一个家庭的温馨，外面的世界虽然波涛汹涌，家总是一个安宁的避风港。那灯光如同一家几口子聚在一起窥探外界的眼睛。然而回顾自己，年已不惑，却仍孑然一身，形影相吊，我总是被人窥探而没有一个人和我依偎在一起共同承受命运的拨弄，唯一亲近的东西是一个化肥口袋做的枕头，不禁泪洒襟怀。

今天，那条去"新城"的碎石路已成了宽阔的大道，并且不止一条，每次我驱车到我办的华夏西部影视城，听着沙沙的车轮声，总令我有一番感慨。汗水血迹都被磨灭了，只有记忆留下来。解放东西街两边低矮的土坯房已荡然无存，好像隔几天就有一座大厦拔地而起。夜晚，华灯初上，车水马龙，我有时在那里散步，到回家的时间，想想，颇让我欣慰：终于有个家可回了。一般人，只要不是波黑人或科索沃人，有家可归似乎没有什么稀罕，而对我，却有深一层感情因素。

前20多年我和中国的苦难紧紧地联系在一起，近20年我又和中国的改革及变化紧紧地联系在一起，与改革共命运，一同享受阳光，一同栉风沐雨。在中国一个被称为宁夏或银川的地方，我现在已经能参与她的变化，我的想象已经有可能化为现实。我本身不仅成了她的一道风景线，还能够真正为她增添一座风景。我想这大概就是一个人所追求的终极价值之一吧。从浅层次上说，这里的一草一木，在我眼里都有纵深感，和我在国外见到的所有美丽诱人的景物不同。当然，外国有许多精彩之处，但在我看来似乎总是平面的。宁夏或银川却会在我视网膜上出现叠影，我的视线能够穿透她，像穿糖葫芦般地形成一条"时光隧道"，即俗话说将她"看透"，从而，哪怕她一处单薄的线条，也非常厚重，非常丰富多彩。很多人不解我平反后为何不离开这个偏远的宁夏。不去外国可以理解，为什么连外地也拒绝搬迁呢？其实她并没有什么使我留恋，相反，在中国其它省市都腾飞的时候，她倒是还有某些不尽如人意的地方令壮士扼腕。然而，在深层次上，她好像与我已有着血肉的关系，在我的生命中，已很难和她剥离。现在，一般我离开银川不会超过 45 天，应邀去国外访问，超过半年我就要犹豫：去，还是不去？去年就放弃了一次到美国当学者的机会。除了不懂外语处处觉得不方便，更重要的是离开这里时间一长心就不安。安心，是很重要的。

也许人们会认为这是经历造成的狭隘心理，这点我承认。可是有谁能摆脱局限呢？不要说我们普遍人，伟大人物也制约于一定的局限性。每个生命个体本身就是一个局限，譬如一粒植物的种子。一粒种子要追求它的无限性，只有在一小块土壤上扎下根去。土壤促使它成长了，它就既让自己也让土壤产生无限的丰富性。土壤因为有了植物这